고백

넘치는기쁨

초판 발행 2023년 8월 25일
2쇄 인쇄 2023년 10월 5일

지은이 | 윤신원
발행인 | 신태식
디자인 | RYUKANG

발행처 | 도서출판 길위에서
출판신고 | 제 2023-000074 호
주소 | 경기도 용인시 기흥구 동백중앙로 191, 8층 에이치 807호
전자우편 | ontheroadpublish@gmail.com

ISBN 979-11-983885-1-3

고백

넘치는 기쁨

Prologue

2019년 2월 18일.
객석에 앉아 있던 내가 무대에 올려졌다.
칠흑 같은 어둠이라
그걸 알아챈 사람은 오직 나 하나뿐이었다.

텅 빈 공간에 나 혼자 덩그러니 서 있는데
첫소리가 들렸다.
관객 한 사람이 들어와 앉는 소리 같았다.
낮고 흐린 조명이 객석을 비췄다.
맨 앞 가운데 자리에 앉은 사람이 보였다.
나였다.

흐름은 알 수 있었지만
잴 수는 없는 시간이 흘렀다.
하나씩 여럿씩 객석도 채워지기 시작했다.

2022년 12월 24일.

주님이 오신 크리스마스 전날. 처음으로 독백했다.

"암 진단을 받은 지 벌써 4년이네.
내가 살아온 4년 중에 이렇게 긴 4년이 있었을까?"

"그래 너무 감사한 시간이었어. 이젠 시작해야겠다.
내 역할을 해야겠어."

"하나씩, 차곡차곡, 남겨보자."

"내가 서있는 이 무대에도 조명이 켜진다면..."

"고백하고 싶다. 보여주고 싶다.
하나님의 사랑으로 넘치는 기쁨을
객석의 사람들에게 꼭 보여주고 싶다."

안녕하세요.

저는 소아청소년과 신생아 세부 전문의로 경기도 종합병원의 신생아집중치료실에서 20년 넘게 근무 중입니다.

교회는 초등학교 때부터 다니기 시작하였고, 주님은 대학 때 인격적으로 만났습니다. 2001년부터 사랑의 교회 출석 중이며 현재 순장으로 섬기고 있습니다.

4년 전부터 신장암 투병 중입니다. 주위에 암 환자도 많고 아프신 분들도 많습니다. 육신뿐 아니라 마음이 힘드신 분들도 많습니다.

이 글은 큰 기적이 있는 간증이 아니고 저의 개인적인 일기이자 신앙 에세이입니다. 아픈 시간을 보내며 하나님 안에서 발견한 기쁨을 나누고 싶습니다.

목차

3장 넘치는 기쁨

에필로그

보내주신 글들

탈고를 마치고

1장

독백

2019. 2. 18.

좌측 신장암

50이 넘은 나이 덕분에 직장 건강검진에 초음파 항목이 추가되었다. 아침 금식을 해야 했는데, 오늘 있을 과 회식과 이번 주에 줄줄이 예정된 신입 전공의 환영회, 퇴임식에 대한 복잡한 생각들로 깜빡 잊고 아침을 먹고 정신없이 출근길에 올랐다.

'오늘 못하면 또 날짜를 잡는 것도 복잡 하니 그냥 진행할까?'
'바쁜 일도 많은데 하지 말고 뒤로 미룰까?'

운전하며 고민하다 그냥 하기로 마음먹었다.

피를 뽑으며 "금식하셨죠?" 질문에 대답은 못 하고 괜히 다른 질문으로 얼버무리고, 초음파 방에 누워 '아침 먹었다고 혼나면 어떡하지?' '빨리 끝내고 가서 해야 할 일들은 뭐지?' 떠올리고 있었다.

영상의학과 선생님이 스크롤을 한참을 돌려 길이를 재시더니 초음파 화면을 나에게로 돌리고 신장에 큰 종양이 있으니 당장 비뇨의학과 진료를 보라고 하셨다.

얼떨떨한 마음으로 비뇨의학과 당일 진료를 보고 복부 CT를 찍자마자 판독을 위해 영상의학과 선생님을 찾았다. 옆에 같이 서 있던 영상의학과 친구와도 함께 별거 아닐 거라는 말로 이야기를 나누고 있었는데, 화면에 영상이 나오자 갑자기 침묵이 돌았다. 잘 모르는 내가 보기에도 험상궂게 생긴 종양이 왼쪽 콩팥을 파괴하고 있는 모양이었다. 무거운 침묵 끝에 영상의학과 선생님이 입을 여셨다.

"신세포암 맞구요, 사이즈가 커서 6cm 넘구요.
자세히 봐야겠지만 지방 침윤이 있는 것 같네요."

이 말을 듣고 처음 드는 생각은
'내가 죽는구나,
그렇다면 내가 이 땅에서 할 일을 다 했나 보네,
와 ~미션 끝! 무거운 짐도 끝! 천국 입성!

앗! 그런데 애들은?
아직 군대도 안 간 은찬이, 재수한다는 주헌이는 어떡하지?
남편은 나 없이 못 살 것 같은데?

... 아니다,
내 미션이 끝나서 부르신 거라면 하나님께서 책임 지시겠지.
알아서 하시겠지.
근데 나 혼자 천국에서 편히 지낸다니 너무 미안하다....'

수술을 위해 추천해 주신 세브란스의 한 선생님께 예약 날짜를 잡고, 당일 예정된 저녁 회식을 가야 하나 잠시 고민하다 불참을 양해해 주셔서 집으로 왔다. 남편과 이런저런 이야기를 하다가 부모님 이야기가 나오자 갑자기 눈물이 났다. 연로하신 부모님을 돌봐 드릴 수 없는 상황을 떠올리니 마음이 아팠다.

내가 울자, 남편도 조용히 눈물을 흘리며 정신없는 첫 밤을 지냈다.

다음날은 신생아 외래 진료가 있는 날이다. 여느 때처럼 진료하며 "다음엔 두 달 후에 보면 좋겠다"고 말하면서도 '과연 두 달 후에 다시 볼 수 있나? 내가 지금 뭐 하고 있는 거지? 내일 있을 전공의 환영회 가야 하나 고민하고 있고, 이번 주의 큰 행사인 퇴임식 걱정하고 있고….'

내려놓아야겠다. 아니 내려놓을 수밖에 없다.

해야 하는 일들을 계속하려는 것으로부터 생각을 바꾸어야 했다. 중학교 때 배운 "이너시아, 관성의 법칙"이 떠오른다. 가던 곳을 계속 가려는 성질. 이제는 멈추고 쉬는 것도 배워야 한다.

지난 주말에도 여러 일들로 몸이 분주하고 마음이 무거워서 한 달만 도망가서 쉬고 왔으면 좋겠다는 이야기를 친구 영민이와 나누었었는데,

이렇게 바로 쉬어야 하는 상황이 올 줄이야.

진료날

2월 21일

오늘은 세브란스 비뇨의학과 외래 진료 예약 날이다.

원래는 내 오전 외래가 있는 날이라 오전까지 근무하고
오후에 세브란스로 가려고 했지만 휴가를 내고 쉬기로 했다.

정신을 차리고, 관성을 극복하고,
그보다 더 중요한 일인 아이들에게 이야기도 해야 하고
정리도 필요할 것 같았다.

아침에 큐티*(QT, Quiet Time) 말씀을 묵상했다.
혈루증을 앓고 있던 여자가 예수님 옷에 손을 대자...

예수께서 이르시되 딸아 네 믿음이 너를 구원하였으니
평안히 가라 네 병에서 놓여 건강할지어다.
마가복음 5:24-34

* 기도와 묵상, 성경 읽기를 하면서 하나님을 만나는 조용한 시간을 이르는 말

병으로부터 놓아주시는 주님이시라고 말씀하신다.

죽음을 생각하고 있었는데...살려주시는 건가?
주님은 내 병을 고쳐 주실 수 있는 분이시지!
나를 건강하게 하실 수 있는 분이시지!
오늘 이 말씀을 주시는 하나님의 세심한 사랑을 느꼈다.

그동안 아이들에게 말하지 못했지만, 오늘 외래 후 바로 입원하게 되면 오늘이 마지막일 수도 있다는 생각에 아침에 모두 모이라고 하고 소식을 전했다.

입술이 잘 안 떨어져서 말을 돌리고 돌려 겨우 전했다.

큰아들 은찬이는 한마디도 안하고 눈물만 흘렸고, 작은아들 주헌이는 "그러니까 암이라는 말이고, 수술한다는 거죠?" 확인 사살을 했다. 주님이 오늘 주신 말씀도 나누면서 건강하게 돌아오겠다고 위로했다.

그러나 입원 짐을 싸고 집을 나서는데 '다시 돌아올 수 있을까' 라는 생각 반, 오늘의 말씀을 믿는 마음 반이었다.

외래 진료 후 수술 날짜는 열흘 후로 잡혔다. 바로 입원하고 수술하는 줄 알았는데, 워낙 수술이 밀려 있어 최대한으로 앞당겨진 날짜였다.

빨리 수술받아야 하는데, 그동안 전이되면 어떡하지? 걱정으로 돌아오는 발걸음은 편하지 않았다.

수술 준비

3월 4일 수술 까지 10여 일 남았다. 그동안 쉬면서 체력도 쌓고 마음도 정리해야겠다고 생각했다.

혹시 모르니 유언장도 써 놓기로 했다. 한 장이 아니라 내가 사랑하던 사람들 각자에게 남길 편지를 써야겠다고 생각하여 집 앞의 다이소를 찾아 편지지를 한 움큼을 샀다.

오늘의 큐티 말씀이다.
두려워 말고 믿기만 하라
마가복음 5:35-43

야이로의 딸이 죽었다고 했으나 예수께서 야이로에게 이르시되 두려워 말고 믿기만 하라 하셨다.

수술 날짜가 늦어진 것 때문에 두려워하는 내 마음을 어찌 그리 잘 아실까? 3월 초라 일이 익숙하지 않을 새로운 인턴과 전공의의 실수에 대한 걱정까지 끌어안고 있는 내 마음을 어찌 그리 잘 아실까? 매일 필요한 말씀을 주시는 하나님의 사랑 감사하다.

친구 은정이가 성경에는 두려워하지 말라는 말씀이 가장 많이 나온다고 하며, 카톡으로 이 말씀을 보내주었다.

너희는 두려워하지 말며 놀라지 말고
내일 그들을 맞서 나가라
여호와가 너희와 함께 하리라 하셨느니라
역대하 20:17

두려움이 가득했던 내 마음을 잘 아시는 주님께서 한 번이 아닌 두 번씩 두려워하지 말라고 말씀하시는 것 같았다. 나의 두려움을 걷으시기 위한 하나님의 열심과 사랑이 느껴졌다.

어제는 다락방[*] 모임이 있는 날이었는데 순장[*]이 참석을 못 했음에도 불구하고 순원[*]들이 전원 참석했다고 한다. 기도하는 순원들의 모습 속에 일하시는 하나님을 보며 감사하다.

---

* 사랑의교회의 소그룹 모임을 다락방, 소그룹 모임의 리더를 순장, 모임의 성도들을 순원이라고 함.

고난의 이유

2월 24일 주일 예배 말씀이다.
〈성도가 왜 고난을 받는가?〉 오정현목사님

그러나 내가 가는 길을 그가 아시나니
그가 나를 단련하신 후에는
내가 순금같이 되어 나오리라.
욥기 23:10

설교 첫 말씀이
"엄마가 암 선고를 받았을 때
가족들의 충격이 얼마나 클까요?"

남편과 나는 동시에 서로를 쳐다보며
우리에게 주시는 말씀임을 느꼈다.

- 하나님은 내가 겪는 고난을 알고 계신다
- 고난은 과정이지 목적이 아니다. 연단이 목표가 아니고 이후에 정금처럼 나오는 것이 목표다
- 뜨거울수록 더 정화되는 전화위복의 축복이다.
- 욥은 힘든 고난을 통해 정화되어 저주받은 친구들을 위해 중보기도하고 친구들을 살렸다. 고난은 선교적 삶을 살게 한다.
- 욥이 고난 후에 축복받고 끝난 것이 전부가 아니다, 욥의 후손 그리고 잘못한 친구들까지 살리시기 원하신 하나님의 사랑이다.

예배 시간이 꿀과 같이 달았다.
나의 고난을 통해 살리기 원하시는 사람들을 살려주세요!

꿈과 사명

큐티 말씀

...많은 귀신들을 쫓아내며
많은 병자에게 기름을 발라 고치더라.
마가복음 6:7-13

많은 병자를 고치신 예수님, 오늘도 고쳐 주시는 은혜를 보게 하셨다. 마가복음에 이렇게 많은 병자가 나오고 고쳐 주시는 주님이 나오는지 몰랐는데 새삼스럽다.

탄자니아 연합대학교 기도 제목 나눔에서,
"하나님께서는 우리의 남은 날을 계수하시며 각자에게 맡겨진 사명이 있는 한 이 땅에서 머무르는 것을 허락하실 것입니다. 맡은 사명을 죽기까지 감당한다면 그 일이 어떤 일이든 주님의 뜻에 따라 우리를 인도하실 것입니다."

'주님, 제게 주신 사명에 눈을 떠 보게 해주세요.'
다락방 정원 자매와 이야기를 나누다가
어릴 때 나의 꿈이 떠올랐다.

"의사가 된 다음 목사님이랑 결혼해서 아프리카로 가서 의료 선교 해야지. 나무를 타며 정글을 누비다가 수영하고, 타조알로 써니사이드업을 해 먹어야지."

일단 선교헌금을 하기로 했다.

집에 있으니 안 보이던 것도 보게 되었다.
오전에, 거실에 비치는 햇빛을 보았다.
이 또한 감사하고 새롭다.

질문들

큐티말씀

예수께서 떡 다섯개와 물고기 두 마리를 가지사
하늘을 우러러 축사하시고 떡을 떼어 제자들에게 주어
사람들에게 나누어 주게 하시고
또 물고기 두 마리도 모든 사람에게 나누시매
다 배불리 먹고
남은 떡 조각과 물고기를 열 두 바구니에 차게 거두었으며
떡을 먹은 남자는 오천 명이었더라.
마가복음 6:41-44

열두 광주리에 남을 정도로 풍성하게 채우시는 하나님
하나님의 풍성한 은혜 안에 내 삶을 온전히 맡겨 놓자!
올해가 만 50세가 되는 해 예요.
나를 사랑하시는 풍성하신 주님께서는
어떤 선물을 준비해 놓으셨을까요?

2월 27일. 오늘 수요예배 말씀 전하시는 목사님이 여자 직장인다락방을 맡아 섬기셨던 정은석 목사님인 것을 보고 기대하는 마음으로 참석했다.

여자 직장인다락방 순장모임은 한 달에 한 번 토요일 오전에 모인다. 주말 오전 시간이 소중한 시간인데, 순장반 모임에 참석하는 것이 참 좋았었다. 다른 무엇보다 설교 말씀 시간이 참 힘이 되었기 때문이다. 목사님이 전해주시는 말씀은 듣기에 좋은 말씀이 아니라 항상 찔림이 있는, 회개하게 하는, 그래서 순장을 감당할 만한 은혜를 받는 시간이었다. 아마도 목사님이 자신이 먼저 주님안에서 깊이 묵상하시며 깨닫고 은혜 받으신 것을 전해주시기 때문인 것 같다.

〈여리고 성을 무너뜨린 하나님의 마음〉

여호수아가 기생 라합과 그의 아버지의 가족과
그에게 속한 모든 것을 살렸으므로
그가 오늘까지 이스라엘 중에 거주하였으니...
여호수아 6:25-27

인간의 방법은 성을 쌓고 탑을 쌓고, 자신을 견고하게 하고 자신을 나타내려 한다. 그 성을 무너뜨린 하나님의 마음은 하나님의 형상을 회복하고, 성이 아닌 장막의 원리를 따라 인도함을 받으며 하나님의 백성이 회복되기를 원하시는 것이다.

라합과 그 가족을 살리신 하나님…나를 살리신 하나님, 내가 무엇을 할까요? 내 생명 드려 무엇을 하기를 원하시나요?

고쳐주시는 이유

큐티말씀

병든 자를 침상째 메고 나아오니...

손을 데는 자는 다 성함을 얻으니라

마가복음 6:55-56

오늘도 병자를 고쳐 주신 예수님

왜 나를 고쳐 주실까?

다락방 모임 사도행전 9과 내용 중에서,

"남은 인생 동안 나의 생각과 마음이 복음에 붙잡혀 날마다 새로워질 수 있도록 하나님 말씀을 읽고 묵상하고 실천하는 것에 힘을 쏟아 생명을 살리는 일에 귀히 쓰임 받을 수 있도록 기도드립시다"

남은 인생 동안이라는 글귀가 마음에 와닿는다.

생명을 살리는 일이 가장 귀함이 마음에 와닿는다.

입원하는 날

3월 3일. 주일.
유니온 신학교 마이크 리브스 목사님 설교
〈사자와 어린양〉

요한계시록 5:5-6
핍박과 어려움 가운데 있는 성도를 위해 쓰여진 말씀이다.

하나님이 우리의 suffering(고통)을 사용하시고, 눈물 한 방울도 낭비하지 않으신다. 주님께서는 내 아픔을 낭비하지 않으시고 사용하실 것이다. 은찬이도 같이 예배 드리고 내일 있을 수술 위해 입원하였다.

지나고 보면 수술 전까지의 10여일간의 시간은 내게 꼭 필요한 시간이었다. 말씀 가운데 집중할 수 있었고, 말씀 가운데 새로 깨닫고 위로 받으며 주님께 나아가는 시간이었다.

이 시간이 없이 정신없이 수술을 받았다면 더 힘들었을 것 같다. 이 시간 동안 느꼈던 하나님의 사랑이 나를 평안 가운데 수술을 받도록 하였다.

괜히 날짜가 3월 4일로 잡힌 것이 아니었다. 나의 짧은 생각과는 다른 하나님의 완벽하신 섭리.

수술 날

마지막 수술 스케줄이라 오후 2시까지 금식하며 기다려야 했다. 찬송 들으며 기다리는 배고픈 시간들...

그 선한 능력 우릴 감싸시니
믿음으로 일어날 일 기대 하네
주 언제나 우리와 함께 계셔
하루 또 하루가 늘 새로워*

2시에 수술방 내려가고, 3시에 수술 시작,
5시에 수술 마치고 6시에 병실로 올라왔다.

좌측 신장 전절제, 좌측 부신 절제, 종양이 야구공만큼 커서 복부 절제를 예정 보다 더 크게, 8cm 정도로 해야 했다. 수술장 소견으로는 신장의 hilum(신장이 시작되는 문, 꼭지)을 침범

---

* 선한능력으로 〈본회퍼 목사님의 옥중 시〉

한 것으로 보이고 종양이 위를 눌러 오른쪽으로 위가 치우쳐져 있었고, 또 종양이 췌장에 붙어있어 박리가 힘들었다고 하셨다. 3기일 가능성이 있으니 결과가 나오면 표적치료 등을 논의해 보자고 하셨다.

수술 방에서 마취 직전에는 하나님께 다 맡긴다는 평안함이 있었다. 하지만 마취에서 깨어나자 호흡이 답답하고 기도가 좁아진 느낌으로 공포가 한차례 왔고, 극심한 통증으로 등을 침대에 대고 누울 수가 없어 후궁반장의 자세로 온 몸이 떨리는 공포가 지속되었다.

'이렇게 아픈 것 일 줄이야.
주님은 십자가에서 진통 주사도 못 맞으셨는데
얼마나 아프셨을까?
주님도 옆구리를 찔리셨는데 신장을 찔리셨을까?'

시계만 쳐다보며 밤을 새웠다. 빨리 바늘이 돌아 2시간이 지나야 진통제 놓아줄 텐데... 왜 이렇게 시계 바늘은 천천히 도는지...

며칠 후,

병리 판독이 나왔다.

사이즈가 크긴 하지만 1기이다. T1b

3기일것라고 생각했는데 1기라니 너무 감사하다.

나를 위해서 기도해 주신 분들

남편, 아들들, 다락방 자매님들, 정훈이네 가정, 윤정이네 가정, 큰형님 가정, 작은 형님, 마더와이즈 선생님들, 작은 씨앗, 겨자씨, 한동대 강남밤팀, 목사님, 순장반, 탄자니아 이영희 선교사님, 여호수아, 소아청소년과 동기들, 신생아집중치료실 수간호사선생님과 간호사들, 병원의 원장님과 여러 많은 선생님과 직원들, last but not least 사랑 많은 내 친구들...

기도를 통해 내가 힘을 얻어서 감사하고,

사랑받고 있음을 느끼며 행복하다.

영원히 사는 것

3월 10일. 주일.

어제 퇴원하여 잘 걷지도 못하지만 너무 예배가 드리고 싶어
비교적 덜 복잡한 1부 예배에 갔다.

일주일 만에 수술 잘 받고 다시 돌아왔구나.
항상 외우던 사도신경이 새롭게 다가왔다.

사도신경의 마지막 고백은,
'몸이 다시 사는 것과 영원히 사는 것을 믿사옵나이다.
아멘'

나는 영원히 사는구나.
죽음이 눈앞에 왔을 때 깨닫게 되는구나.
영원히 사는 은혜가 실체로 다가온다. 너무 기쁘다.

옆구리

3월 17일. 주일 말씀

호성기 목사님 〈성장에서 성숙으로〉

베드로의 옆구리를 쳐 깨워 이르되 급히 일어나라...
베드로가 그대로 하매...
깨닫고 마가라 하는 요한의 어머니 마리아의 집에 가니
여러 사람이 모여 기도하더라
사도행전 12:1-12

사랑하는 자녀에게 고난을 통해 성숙하게 하시는 하나님.
내 옆구리(신장)를 쳐 깨우신 하나님.
간절히 기도하는 자들을 세우신 하나님.

이제는 하나님이 하라시는 대로 그대로 따라 하기 원합니다.

필그림 하우스 천로역정 순례길

수술 후 처음으로 멀리 외출을 나갔다. 재훈이의 배려로 나를 픽업하여 경옥 씨와 천로역정 순례길 프로그램을 참석했다. 몸은 힘들었지만 순례길의 체험은 참 좋았다. 암 투병의 선배인 경옥 씨와의 나눔도 따뜻했고, 동병상련의 은혜가 있었다.

순례길의 여러 가지가 마음에 남았지만 한 가지만 적어보자면 마지막에 죽음의 강이 인상 깊었다. 누구나 건너야 하는 관문이나 하나님께서 각각 개인에 맞추어 강의 수위를 조절해 주신다고 했다. 감당할 수 있는 만큼의 죽음의 강물 높이를 조절 해 주신다는 것이다.

수술 시 고통으로 인한 트라우마가 생긴 터라 아픔, 고통에 대한 두려움이 있었는데 감당할 만한 만큼만 주시는 하나님의 사랑을 기억하며 마음이 안심이 된다.

감당할 만한 시험! 신실하신 하나님!

하나님은 신실하십니다.

여러분이 감당할 수 있는 능력 이상으로

시련을 겪는 것을 하나님은 허락하지 않으십니다.

하나님께서는

시련과 함께 그것을 벗어날 길도 마련해 주셔서,

여러분이 그 시련을 견디어 낼 수 있게 해주십니다.

고린도전서 10:13 (새번역)

핑크색 책

고등학교 친구 단영이에게 책 〈딸아, 너는 나의 보석이란다〉 선물을 하였다. 큰 형님이 주신 책인데 너무 좋아서 사랑하는 지인들에게 마구마구 나누어 주고 싶은 책이다.

안 믿는 친구에게 신앙고백을 할 수 있음이 참 감사하다. 나의 질병으로 인한 좋은 점 하나는 중요한 일을 미루지 않고 하게 하는 것이다. 다음 기회가 없을 수도 있다는 생각이 들기 때문이다. 친구에게 참 진리 되신 말씀을 듣고 주님을 만나는 역사가 일어나길 기도한다. 나로 인해 한 영혼이 살아날 수 있다면 신장 하나는 주님께 기쁘게 드릴 수 있겠다.

기쁨 되신 주

내 기쁨 되신 주

주를 영원히 송축해
항상 주 의지하리
두려움 속에서 나를 건지사
반석 위에 날 세우셨네
요동하지 않고 주를 고백하리

나의 방패, 힘과
내 기업, 구원자
피난처, 강한 성루
언제나 나의 도움 되시네

내가 사모할 자 오직 주
주와 같은 분 없으리
내 기쁨 되시는 주를 고백하리

하루 종일 틀어 놓고 부른 노래이다.
나의 방패... 피난처...
힘차게 후렴을 따라 부르며 주님이 누구이신지 외치다 보면
노래의 제목처럼 기뻐졌다.

두 달 간의 병가가 끝나고 병원으로 복귀하였다.

오후가 되면 피곤이 몰려와 견디기 힘들다. 신장 두 개가 50년 동안 하던 일을 갑자기 하나가 하려니 당연히 피곤한 거라는 주치의 말을 받아들이기로 했다.

나는 12시간이 주어진 사람이라고 생각하고 살자. 가능한 오전에 일을 하고 오후는 힘들면 쉬어 가는 걸로. 오후에 중요한 일이 있으면 오전은 체력 비축 위해 노력하는 걸로.

연구실 소파에 몸을 구부리고 누워 잠이 들면 밖이 깜깜해질 때까지 깨어나질 못하고 퇴근 시간을 넘긴 경우가 있어 오후 회진 시간에 알람을 맞추어 놓고 눈을 붙이기로 했다.

오늘 꼭 해야 하는 일들을 우선순위로 정하고 하자.

이전에는 10가지 일 하고도 못한 일 때문에 스트레스받으며 잠이 들었다면, 이제는 꼭 중요한 5가지를 할 수 있었음을 감사하며 잠들자.

직장에서 여러 가지로 배려해 주심도 너무 감사하다.

우측 신장암

수술 후 처음에는 3개월, 이후는 6개월마다 복부 MRI 검사로 추적 관찰하며 신기능도 잘 유지되며 지냈다.

2020년 6월,
수술한 지 1년 3개월 만에 반대편인 우측 신장에 아주 작은 무언가가 새로 보인다고 한다. 아직은 너무 작아 알 수 없으니 3개월 간격으로 계속 추적관찰 할 수밖에 없다고 한다.

저절로 없어질 수도 있다는 주치의의 말에 희망도 걸어보며 기다림의 연속이 지속되었다. 3개월 간격으로 검사하며 21년 10월까지 1년 넘는 기간 동안 조금씩 커져 가는 종양을 지켜봐야만 했다. 크기가 1cm이 될 때까지는 원칙적으로 수술을 안 한다고 했다.

기다림의 시간이 이렇게 힘든 것인 줄 몰랐다. 괜찮을 것이라는 생각과, 암을 키우고 있는 것은 아닐까 하는 생각, 암이 아닌데 괜히 수술하면 하나밖에 없는 신장 아까워 어떻하지?, 암이 라면 작을 때 수술해야 남은 신장을 조금이라도 더 살릴 수 있을 텐데... 없어지게 해 달라고 기도해야 하나? 빨리 자라서 수술하게 해 달라고 기도해야 하나?...여러 생각들이 왔다 갔다 하며 지치게 한다.

언제 수술할지 모르므로 먼 계획은 세우기도 어려웠다. 매번 3 개월씩을 연장하는 것 같은 생활이 쉽지 않았다. 병원 근처로 이사를 가고 싶었으나 수술 후에 어떻게 될지 모르는데 미리 이사 가기도 그렇고... 언제 수술할지 기약이 없으니 계속 장거리 운전하며 출퇴근할 수밖에 없는...

이러한 불확실한 상황들 가운데 하나님을 신뢰할 수 있는지 계속 물어보시는 것 같았다. 지금은 무작정 기다리며 신뢰를 배우는 시간인가요? 믿음의 연단의 시간인가요?

둘째 아들 주헌이가 올해 삼수를 시작했다. 재수 때와는 다르게 몸도 마음도 지쳐 보이고 힘들어 한다. 주헌이를 지켜보고 있는 것도 믿음 안에서 기다림이 필요함을 절실히 느낀다.

주님, 우리 가정에 닥친 여러 불확실한 상황이 하나님을 신뢰하며 기다리는 믿음을 주시려고 하시는 건가요? 아토피로 밤새 온몸이 진물투성이 된 주헌이에게 스테로이드와 면역억제 연고를 발라주느라 출근 시간에 쫓기며 눈물을 삼키며 아침을 맞이한다.

미드바르.
광야라는 말의 히브리어가 미드바르인데 하나님의 말씀이라는 뜻이라고 한다. 광야에서는 아무것도 의지할 수 없어서 하나님 말씀만 바라는 곳이기 때문이라고. 하나님 말씀 의지하며 기다림의 광야의 시간을 지나가게 해주세요!

중보기도의 빚은 누가 진 것일까?

우측에 종양이 새로 생긴 것을 알고선 하나님께 어떻게 기도해야 할지 몰랐다. 주님이 지금까지 은혜로 선하게 인도해 주셨기 때문에 앞으로도 그렇게 하실 거라고는 믿고 있지만...

몇 개월이 지나서야
'하나님, 저 왜 또 아픈 건가요?'라고
직접적으로 물어볼 용기가 생겼다.

물어보자 마자 바로, 나를 위해서 기도하는 많은 사람들이 있음을 깨닫게 해 주셨다. 근데 답을 제대로 해 주신 것 맞나요? 왜 아픈 거냐 물었는데, 어떤 뜻이 있는지 물었는데...

하나님의 뜻을 다 깨닫지는 못하겠지만 일단 나를 위해 기도하는 많은 사람들에 대한 감사한 마음을 주셨으니, 깨달은 만큼만 감사하자!

나의 연약함을 나누며 중보기도를 부탁하는 것은 내가 사랑의 빚, 기도의 빚을 지는 조금은 미안한 일이라고 생각했었다.

그러나 이제는 그렇게 생각하지 않는다. 나를 위해 중보기도 하는 것은 하나님께 나아가는 시간이고, 하나님을 만나는 시간이고, 하나님의 마음을 느끼는 시간이고, 하나님이 부어 주시는 마음으로 기도하는, 하나님의 뜻을 이루는 시간이다.

이런 축복의 시간을 가질 수 있는 행복한 시간이기 때문에, 하나도 미안하지 않고 오히려 내가 감사를 받아야 한다는 뻔뻔한 생각까지도 해보았다.

'하나님, 저를 위해 기도하는 많은 사람들을 주셔서 감사해요. 하나님이 사랑하시는 그들을 기도하는 시간에 만나주시고 말씀해 주세요. 주님의 풍성한 은혜로 축복하시고 기쁨과 평안으로 채워 주세요. 저에게 주신 것보다 더 많이 채워 주셔야 해요!'

이영희 선교사님은 탄자니아로 파송되어 탄자니아 연합대학교(UAUT)와 유치원을 섬기시며 아프리카의 복음 전파를 위해

헌신하신 분이시다. 단체 카톡의 기도 제목을 보셨는지 개인 톡으로 연락을 주셨다. 새벽기도 중 주님께서 생각나게 하셔서 기도하셨다고...

교회의 같은 구역 순장반에서 안면이 있었지만 서로 개인적인 이야기를 나눈 적은 없다. 선교사님도 내 얼굴도 잘 생각이 안 나는데 하나님이 기도하게 시키신다며, 간절히 기도해 주시고 말씀으로 권면해 주신다.

잘 알지도 못하는 나를 위해 먼 아프리카에서 기도하도록 시키신 하나님의 은혜를 보며, 나를 얼마나 사랑하시는지 다시 한 번 깨닫게 된다.

두 번째 수술 직전에는 2년 전 첫 진단 후 첫 예배 말씀이었던 욥기, "성도가 왜 고난을 받는가?" 영상을 보내주셨다.

이 말씀을 보내 주시다니... 신기하고 꼭 다시 들어야 할 것 같았다.

욥의 고난을 통해 잘못한 세 친구들을 구원하시기 원했던 하나님의 마음을 다시 깨닫고, 고난을 통해 선교적 삶을 살게 하시는 섭리가 이루어지기를 소원했다.

나의 고난에서 끝나는 것이 아니라 한 명이라도 구원을 얻게 되는 하나님의 계획이 있는 것이라면 얼마나 좋을까? 선교사님과 내가 주님 안에서 연결되어 있음을 느끼며 사도신경의 "성도가 서로 교통하는 것과"의 의미가 실체로 마음에 느껴진다.

우측 신장 로봇 수술

2021년 10월. 드디어 우측 종양의 크기가 1cm를 넘었다.
만세라도 불러야 하나...

마음 졸이며 기다림에 지쳐 있던 가족들도 오히려 좋아하며 수술 축하(?)를 해주었다. 수술 일정이 한 달 후로 잡힌 것을 감사하며 다시 이전 수술을 기억해 보았다.

극심한 통증 때문에 혹시 재발하더라도 다시는 절대로 수술은 안 받겠다고 다짐했었는데...
또 수술대에 오르다니...
질병과 죽음은 무섭지 않은데 통증은 무섭다.

직장에 마음을 나눌 수 있는 사람들이 있다는 것은 축복이다. 20년 가까이 되는 시간 동안 마더와이즈 모임의 선생님들이 계셔서 얼마나 위로가 되었는지... 함께 나누고 기도했기 때문에 가정과 직장 생활하며 겪는 힘든 고비들을 넘길 수 있었다.

수술을 앞두고 마더와이즈 모임에서 나의 통증에 대한 두려움을 나누었다.

한 선생님께서 부군께 우연히 말을 전했고 타 마취과에 계신 부군께서 수술병원 마취과에 전화하셔서 통증을 완화하기 위한 epidural (경막외차단술) 치료를 부탁하셨다.

만나 뵌 적도 없고, 학교 선후배 사이도 아니고, 부탁을 받으신 것도 아닌데 홀연히 마음이 동하셔서 타 병원에 연락하여 친히 부탁해 주신 것에 대해 하나님이 일하셨음을 느낀다.

나의 작은 신음에도 응답하시는 하나님. 하나님이 사랑하시는 사람들을 사용하시는 하나님. 우연이 아님을 잘 안다.

수술 후, 이전과 비교하자면 1/10정도의 통증은 너무나도 감사했고, 회복이 빨랐다. 두 달의 병가 후 2021년 12월 말, 다시 병원에 복귀하였다.

이제는 더 무리하지 않도록 병원 앞으로 빨리 이사하고 싶었다. 수술이 잘되어 대부분의 우측 신장을 살릴 수 있었으나, 그래도 하나도 안 되는 신장으로 살아야 하고 암이 더 진행되지 않도록 더 신경 써야 할 것 같았다.

이사가 쉽지는 않았고 생각보다 오래 걸렸으나, 2022년 4월 이사 후에는 체력적으로 훨씬 수월한 생활을 할 수 있었다.

오렌지색 책

첫 수술 때의 핑크색 책에 이어 두 번째 수술 때는 큰 형님으로부터 작은 오렌지색 책을 선물로 받았다.

〈지저스 콜링〉(사라영).

피부암으로 4번이나 어려운 수술을 받은 저자가 하나님과 친밀함을 누리며 하나님의 임재와 평안을 즐거워하며 쓴 묵상집이다. 묵상하고 나면 도전과 위로가 되는 귀한 책이었다. 이 책도 사랑하는 사람들에게 마구마구 나누어 주고 싶었다.

하얀색 책

〈암을 낭비하지 마세요〉

존 파이퍼 목사님이 전립선암 투병 후 전하는 메시지이다.

아주 짧고 간단한 내용이지만 강력한 메시지이다. “암이라는 고난이 주는 의미를 깨닫지 못한다면 암을 낭비하는 것입니다”로 시작하여 “암을 통해 예수님의 영광을 증거 하지 않는다면 암을 낭비하는 것입니다.”로 끝난다.

이 책은 암에 걸린 사람이 있다면 꼭 나누어 주고 싶은 책이다. 이 책을 읽고서 말씀을 묵상하는 대신 문제를 묵상하고, 암을 묵상하려는 늪에 빠지지 않을 수 있었다.

앞서서 비슷한 상황을 겪으신 분들의 통찰력을 배우는 것은 은혜이다.

2장

고백

3번째 수술

2022년 8월, 흉부 CT도 같이 찍어 보자는 주치의 말에 별 생각 없이 진행한 검사에서 좌측 폐에 3-4mm크기의 폐 결절 2개가 발견되었다. 만성 염증일 가능성이 있지만, 전이일 가능성을 배제하지 못하기 때문에 1달 후 다시 검사하기로 했다.

작년에 1년 넘게 추적관찰 하며 기다리는 시간이 무척 힘들었기 때문에 또 반복되지 않았으면 했다. 한 달의 기다림의 시간은 남편에게는 새벽기도의 시간이었다.

한 달 후 찍은 CT에서는 2개 중 큰 결절만 아주 조금 커진 양상을 보였다. 여러 선생님들의 자문으로는 아직 작으니 지켜보자는 의견도 있었지만, 전이일 수 있으니 수술로 때어내는 것이 좋겠다는 의견도 있었다.

또 한 번 더 수술한다는 부담도 있지만, 결과가 양성이라도 잘된 일이고, 전이라면 빨리 제거하는 것이 마음 편할 것 같았다.

그러나 어떻게 하는 것이 최선인지는 정말 모르겠고, 이 또한 주님께 맡길 수밖에 없었다.

가장 좋은 방법으로 결정되게 해 달라고 기도하며, 가장 중요한 주치의 의견을 따르기로 했다.

담당 흉부외과 선생님은 2달 후 한 번 더 찍어 보자고 했다. 다음에 찾아간 종양내과 선생님은 자신의 가족이라면 수술해서 확인해 볼 거라고 하셨다. 다시 흉부외과 선생님을 찾아가 종양내과 선생님 소견을 말씀드리니 바로 수술 날짜를 잡아 주셨다.

종양내과 선생님의 환자 입장에서의 배려 있는 말이 위로가 되었고, 바로 수술해 주신 흉부외과 선생님과 종양내과 선생님을 연결해 주신 비뇨의학과 주치의 선생님께 모두 감사한 마음이 들었다. 그리고 수술이 결정되기까지, 꽤 마음고생하는 동안 여러 가지로 애써주고 마음 다해 챙겨준 친구 세훈 교수님도 하나님의 선물 같다는 생각이 들었다.

달란트의 신비

어릴 때부터 달란트의 비유를 들을 때마다 땅에 묻어 놓고 주인에게 혼난 한 달란트를 받은 사람은 적어도 나는 아닐 것이라는 생각을 했었다.

"나는 받은 것도 많고
또 그냥 묻어 놓을 만큼 어리석지도 않아!"

이번 주일 담임목사님의 설교로 새롭게 깨달은 사실은, 한 달란트 받은 사람이 책망받은 이유이다. 이윤을 남기지 않았기 때문이 아니라, 주인의 뜻에는 관심도 없고, 주인이 어떤 분인지도 모르고, 주인 됨을 인정하지 않았기 때문에 주인의 것인 달란트를 자기 맘대로 묻어 놓은 것을 책망하신 것이다. 청지기의 마음으로 주님을 기쁘시게 하려고 믿음으로 모험했던 두 달란트, 다섯 달란트를 가진 종들과는 달랐다.

좌측에 이어 우측에 종양이 생겼을 때는 '또 수술하면 되지' 라는 생각이었다. 그러나 폐에 생긴 결절은 또 한번 더 수술한다고 끝나는 것이 아니기 때문에 전이에 대한 두려움이 새롭게 생겼다.

'전이라면 또 다른 차원인데...
전이라면 생존률이 확 떨어질 텐데,
항암 치료하게 되면 아무것도 못 할 텐데,
살아 있는 시간이 얼마 없을 텐데...'

이젠 나에겐 한 달란트 밖에 없다고 생각하고 있는
내 모습이 보였다.

건강도 시간도 내 것이라고 착각하고 있었다.
사실은 하나님이 주신 건데..
내 것이 아닌데..
하나님의 소유인데..

하나님이 나에게 한 달란트의 건강과 시간을 맡겨 주셨다면 하나밖에 안 된다고 불평, 걱정할 것이 아니라 어떻게 하면 잘 사용할 수 있을까, 어떻게 하시길 원하실까, 작은 일에 충성할 수 있을까 고민할 때인 것 같다.

그러면 주인의 기쁨에 참여할 수 있겠지?

그리고 한 달란트는 지금의 수억 원이 넘는 아주 큰 가치라고 한다.

아버지

지난 두 번의 수술 때는 부모님께 미리 말씀드리지 못했다. 부모님이 걱정하실 것을 생각하니 차마 말하기가 어려웠고, 수술 후에 어느 정도 회복된 후에 알리는 것이 걱정을 덜어드리는 최선이라 생각했다.

세 번째 수술을 앞에 놓고 고민이 되었다. 부모님 댁과 가까운 곳으로 이사 왔기 때문에 숨기기가 더 어려워졌기 때문이다. 남동생이 말씀드리라고 권했다. 부모님의 기도를 받을 수 있는 기회인데 왜 미리 걱정만 하냐고...

수술 전날 죄송한 마음으로 말씀드렸다. 어머니가 아버지께 기도하시라고 시키셨다. 두 손 모으고 3명이 둘러 앉았는데, 아버지가 "주님"하고 부르셨다. 그리고 나의 건강을 위해 기도해 주셨다.

아버지가 주님을 부르셨다는 것이 너무 기쁘고 감사했다.
아버지의 구원은 나의 오랜 기도 제목이었다.

교회에도 모시고 가고 복음을 전하기도 했지만 매번 "다음에"라며 신앙을 부인하셨던 아버지. 최근 캐나다에 사는 동생네 가족이 한국을 방문했을 때, 아들의 강권과 손주들의 기도를 듣고 마음의 변화가 생겨 믿음을 가지시겠다고 말씀하셨다는 이야기를 듣고 너무 놀랍고 감사했었다.

아버지를 구원해 주시고 나를 위해 기도해 주시는 은혜를 주신 주님께 감사드린다. 정말 기쁘다. 말씀드리길 잘했다는 생각이 들었다.

좌측 폐 쐐기 절제술

22년 9월 28일. 수술 날.

이번에도 천사를 동원하신 것처럼 마취과 선생님을 통하여 무통 척추 주사로 너무나도 감당할 만한 통증만 겪게 하신 것 감사하다. 이번 수술대에 오를 때는 아빠 아버지를 부르면서 마취에 들어갔다.

나는 개인 기도를 시작할 때 '주님'을 부를 때 보다 '아빠 아버지' 하나님을 부를 때가 더 많다. 절실한 기도할 때는 '아빠' 라고만 여러 번 부르짖기도 한다. 그러면 '딸아, 왜 그러니?' 하며 하나님이 귀 기울이시는 것 같다.

마취에 깨서 의식이 돌아올 때 신기하게도 아빠를 계속 부르고 있었다. 수술하는 동안 나의 아빠 아버지와 함께 해서 일까? 무의식중에도 아프고 무서워서 아빠 아버지를 간절히 찾고 있었을까?

아빠라고 부르는 내 목소리를 들으며 마취에서 깬 후 갑자기 회복실이 분주해지더니, 심박수가 떨어진다고 여러 의료진이 내 침대로 몰려왔다. 눈을 들어 모니터를 보니 심박수가 분당 30회로 떨어져 있었다. 갑자기 몸이 사시나무처럼 떨렸다. 체온이 34도 대로 떨어졌다는 소리가 들렸다. 아트로핀 주사가 들어가고 나서 심박수가 회복되었고 다시 주위가 조용해졌다.

옆에 있던 회복실 간호사에게 마취에서 깨어나면서 혹시 헛소리 안 했는지 물었다.
"전혀요, 헛소리 안 하셨구요... 계속 아프다고만 하셨어요. 원래 많이 아파요. 진통제 들어갔으니 조금만 참으세요"

"아빠 아빠" 부르는 소리를 "아파 아파"로 들었나보다.
수술방에서도 함께 해 주신 나의 아빠 아버지.

폐전이

두 개의 결절 중 작은 결절이 신장암 전이로 판명이 났다.
1기에서 4기로 바뀐 건가.

신기한 것은 두개의 결절 중에 커지지 않아서 염증으로 생각했던 작은 결절이 전이된 것이고 전이를 의심케 했던 큰 결절은 단순 염증인 것으로 판명났다.

전이가 맞다 아니다, 수술해야 하나 말아야 하나 여러 의견이 있었지만 결국 맞은 사람은 아무도 없었다. 하나님 만이 맞으시고 우리를 인도해 주신다는 생각이 들었다.

키트루다라는 면역항암제를 1년간 사용해 보았더니 생존률이 높아졌다는 보고가 최근 나왔다고 한다. 면역항암제는 비교적 순한 항암제라고 한다.

암세포를 제거하는 역할을 맡고 있는 면역세포인 T 세포에는 PD-1 수용체가 있는데, 암세포의 PD-L1 단백질에 결합하면 정상세포로 착각하여 공격하지 않게 된다. 키트루다는 T 면역세포의 PD-1 수용체에 결합하여 암세포를 제거하는 면역반응을 유도한다.

쓸 수 있는 약이 있어 감사하다. 더 기다리지 않고 빨리 수술해서 감사하다. 보험이 안 되는 약이지만 직원 감면, 제약사 환급 등을 통해 감당할 수 있는 형편이어서 감사하다.

수술 후 한 달은 회복과 면역항암을 위한 체력을 위해 둘레길을 걸으며 노력했다.

이사하니 여러 면에서 편리한 점이 많지만 집 앞에 작은 둘레길이 있어서 참 좋다. 무엇보다 직장이 바로 앞이라 제일 좋다. 만약 이사 오지 못했다면 면역항암 치료 중에는 휴직을 할 수밖에 없었을 것 같다. 다시 복직할 수 있어서 감사하다.

수술 후 병상에 있을 때 은정이가 김동호 목사님의 "날마다 기막힌 새벽(날기새)" 영상 "내가 함께할 테니 두려워 말아라"을 보내주었다.

김동호 목사님도 2019년에 폐암 진단받으시고 이후 항암 치료뿐 아니라 전립선암, 갑상선암으로 3번이나 수술 받으셨다. 같은 힘든 시간을 지낸 분의 실제적인 경험에서 우러나오는 신앙고백은 더 내 마음에 다가올 수밖에 없다.

목사님의 말씀과 권면이 큰 위로가 되어 그 이후로 매일 "날기새"의 은혜를 사모한다.

밥

나는 먹는 것을 좋아한다. 식탐이 있다. 한 끼라도 안 먹으면 머리가 아프기 때문에 꼭 챙겨 먹는다. 첫 수술 날 수술방 내려가길 기다릴 때도 큰 수술의 부담감보다 NPO(금식) 시간이 길어서 배고프고 머리 아픈 것이 더 신경 쓰였다.

나를 잘 아는 가족들은 내가 기분이 안 좋아 보이면 먹을 것을 가져다준다. 먹고 나면 기분이 확연히 좋아지는 것을 알기 때문이다.

입원 중에, 회복 중에 밥을 가져다준 사람들의 사랑을 잊지 못한다. 병상에서 먹었던 다락방 자매의 죽, 먹고 싶은 것 말하라고 해서 누릉지와 장조림이라고 했더니 업그레이드 된 버전의 쉐프급 음식을 만들어다 준 친구, 음식을 잘 못하는 줄 알고 있는 친구가 만들어 준 담백한 전복죽... 맛있는 밥 사주며 격려해주었던 많은 사람들...

그 음식들을 먹고, 아니 사랑을 먹고 회복했다.

영의 양식은 말씀이고 말씀 없이 우리가 살 수 없듯이, 육의 양식인 밥 먹는 것을 밝히는 것은 부끄러운 일이 아니다. 말씀과 밥은 생명이다.

면역항암 치료

2022년 10월 24일. 키트루다 1차 면역항암을 시작했다.
3주 간격, 17회, 1년 기간

치료를 시작하며 두 가지를 하고 싶었다.

나무를 한 그루 사고 화분에 심어 "루다"라고 이름 지어주었다. 나무가 잘 자라길 바라는 마음과 치료약이 내 몸에서 열심히 일을 하길 바라는 마음으로.

또 한 가지는 지난 두 번째 수술 때부터 하고 싶었던 일인데, "영광"에 대하여 정리를 해보고 싶었다.

왜 또 아픈 건지 물었을 때 주신 말씀이다. 주신 말씀인데 다 깨닫지 못했다.

지금 우리가 겪는 일시적인 가벼운 고난은,
비교할 수 없을 정도로 영원하고
크나큰 영광을 우리에게 이루어 줍니다.
고린도후서 4:17

고난이 영광을 이룬다는 말씀인데 "영광"이 무엇인지 정확하게, 확실하게 마음에 다가와 오질 않았다.
좋은 것,
하나님의 것,
영화로운 것,
나중에 알게 되는 것...
그런 것 인가?

성경 검색을 통해 영광이라는 단어가 들어가는 구절이 신,구약에 419개가 있다는 것을 알게 되었다. 이 구절을 다 정리해 보면 이 "영광"에 더 다가갈 수 있을까?

영광의 말씀을 찾아보며 정리하는 한 달 간의 매일의 오전 시간은 기대되고 행복한 시간이었다.

한 달 후 직장 복귀 후에는 주말 시간을 사용하여 구약, 신약 1권씩 2권의 노트에 정리를 했다. 끝나가는 것이 아쉬웠다.

"왜 419 구절 만 있는 거야... 더 있었으면 좋겠다." 하나님의 말씀을 깨닫고 알아가는 시간은 하나님을 조금 더 가까이 알아가는, 하나님을 만나는 기쁜 시간이었다.

영광

영광에 대하여 노트에 정리해 보았으나 그 은혜가 시간이 지나면 옅어지는 것 같아 잊어버리고 싶지 않은 중요한 몇 가지만 기록해 본다.

구약시대의 영광은 하나님의 임재였다! 하나님이 나타나실 때마다, 말씀하실 때마다 여호와의 영광이 나타났다. 회막에서, 거룩한 성전에서 영광으로 나타나셨다. 하나님이 영광이었다.

신약에서는 하나님께서 자신의 영광을 주님께 주셨고, 주님은 우리에게 그 영광을 주셨다! 우리에게 영광을 나누어 주신 것이 하나님의 뜻이고, 주님이 오신 이유이다.

• 예수님이 영광을 받으신 때는 유다가 빵 조각을 가지고 나가 예수님을 팔아버리는 일을 시작할 때이다. 하나님의 뜻대로 십자가에 달리실 때 영광을 받으셨다. 그리고 주님이 영광을 받으심으로 말미암아 하나님도 영광을 받으셨다. 주님이 아버지

안에 계시기 때문이다.

그(가룟유다)가 나간 후에 예수께서 이르시되
지금 인자가 영광을 받았고
하나님도 인자로 말미암아 영광을 받으셨도다.
요한복음 13:31

• 하나님 뜻대로 행하셨기 때문에, 영광 돌리고 영광 받으셨기 때문에, 주님이 아버지 안에 거하신 것처럼 나도 주님 안에, 그리고 내 안에 성령님이 거하신다.

내가 아버지 안에,
너희가 내 안에,
내가 너희 안에 있는 것을 너희가 알리라.
요한복음 14:20

• 하나님이 주님께 주신 영광을 우리에게 주셨다!
예수님이 하나님의 뜻을 행하므로 영광을 받으신 것처럼,
나도 하나님의 뜻을 행할 때 영광을 받으시고 영광을 주신다.

내게 주신 영광을 내가 그들에게 주었사오니
이는 우리가 하나 된 것 같이
그들도 하나가 되게 하려 함이니이다.
요한복음 16:22

• 예수님과 연합되었기 때문에 우리는 예수님이 받으신 고난과 영광을 함께 상속받는다. 그러나 현재의 고난은 장차 우리에게 나타날 영광과 비교할 수 없다.

자녀이면 또한 상속자 곧 하나님의 상속자요
그리스도와 함께 한 상속자니
우리가 그와 함께 영광을 받기 위하여
고난도 함께 받아야 할 것이라.
생각하건대 현재의 고난은
장차 우리에게 나타날 영광과 비교할 수 없도다.
로마서 8:17-18

• 주님 안에 있는 구원을 주실 때 주님 안에 있는 영원한 영광도 함께 주셨다.

그러므로 내가 택함 받은 자들을 위하여 오래 참음은
그들도 그리스도 예수 안에 있는 구원을
영원한 영광과 함께 받게 하려 함이라.
디모데 후서 2:10

• 여러 시험이 있어도 기뻐할 이유는 불에 연단을 받지만, 금보다 귀한 순수해진 믿음으로 주님 오실 때 영광을 얻기 때문이다. 고난은 이상한 일이 아니라 오히려 즐거운 일이다. 고난을 부끄러워 말고 하나님께 영광을 돌려라.

그러므로 너희가 이제
여러 가지 시험으로 말미암아
잠깐 근심하게 되지 않을 수 없으나
오히려 크게 기뻐하는 도다.
너희 믿음의 확실함은 불로 연단 하여도
없어질 금보다 더 귀하여
예수 그리스도께서 나타나실 때에
칭찬과 영광과 존귀를 얻게 할 것이니라.
베드로전서 1:6-7

오히려 너희가
그리스도의 고난에 참여하는 것으로 즐거워하라
그의 영광을 나타내실 때에
너희로 즐거워하고 기뻐하게 하려 함이라.
베드로전서 4:13

• 우리는 하나님의 영광 안에서 새 예루살렘에서 영원히 산다. 그곳은 하나님의 영광으로 빛나서 해와 달이 필요 없는 곳이다. 영광 안에서 영원히 영광스럽게 산다!

그 성은 해나 달의 비침이 쓸데 없으니
이는 하나님의 영광이 비치고 어린양이 등불이 되심이라.
요한계시록 21:23

하나님이 주님께 주신 영광을 나에게도 주셨다니 놀랍다!

키트루다와 동행

키트루다 면역항암제 첫 투약 후 10일 지나자, 몸에 힘이 빠지며 걷는 것이 힘들었다. 근육통이 심해 침대에 누워도 다리가 매트리스에 닿는 면이 아파 뒤척일 정도로 무언가 잘못되고 있는 것이 느껴졌다.

피검사 상 갑상선중독증으로 심박수가 110회를 넘고 TSH(갑상선 자극 호르몬, 정상수치: 0.51~4.94)가 0.01, T3(갑상선호르몬, 정상수치: 59~150)가 800을 넘었다.

'인데놀' 약으로 심박수를 조절하며, 예정되었던 2차 투약은 항암 부작용이 호전될 때까지 미루어졌다.

심전도에서도 심근막염이 의심되는데 이 경우에는 더 이상 키트루다 투약이 어렵다고 한다. 목숨 걸고 쓸 수는 없기 때문에. 코티솔(부신피질에서 분비되는 스테로이드) 호르몬 레벨도 감소하였다.

걷는 것이 이렇게 힘든 일인 줄 몰랐다. 한 발을 내딛고 나서 다음 한 발이 딸려 와야 하는데 잘 안된다. 보다 못한 은찬이가 업어서 이동하기도 하였다.

일주일 정도 지나자 조금씩 회복되는 것이 느껴졌다. 층계를 오르는 것은 불가능하고 경사가 있는 언덕은 피해 가야 하지만 평지는 천천히 걸을 수 있었다.

공책 사러 집 앞의 문구점에 갔다 왔는데 그렇게 좋을 수 없었다. 내가 가고 싶은 곳을 갈 수 있다니. 내가 걸을 수 있다는 사실은 너무도 당연하여 감사해 본 적이 없다.

이젠 감사하다.
'감사의 반대말은 당연하다'라고 김상숙 권사님의 카톡 편지에서 읽었다. 키트루다가 새로운 감사를 알려주네.

몸이 정상으로 회복한 것 같았는데 몇 주 지나지 않아 다시 몸이 피곤함을 느꼈다.

'왜 또 걸음걸이가 느려지지? 얼굴색은 왜 안 좋지?'

피 검사하니 이번엔 갑상선 저하증이 왔다. TSH(갑상선 자극 호르몬, 정상수치: 0.51~4.94)가 이번엔 54.7로 올라갔다. 인데놀 약을 끊고 갑상선 약을 먹기 시작했다.

면역반응이 생각보다 일찍, 세게 온 것 같다고 주치의가 말했다. 그래도 갑상선 쪽으로 와서 치료할 방법이 있어 다행이고 감사하다. 그리고 면역 부작용이 세게 오면 그만큼 면역항암 효과도 좋다는 반증이라고 하니 감사하다.

며칠 갑상선 약을 먹으니, 발걸음이 가벼워진다. 참 신기하다. 갑상선호르몬이 내 몸에서 밸런스를 맞추고 생활이 가능하도록 열심히 일하고 있다는 사실을 인지하지 못하고 살았었는데, 하이퍼(hyper,항진)와 하이포(hypo,저하)를 오가다 보니 내 몸이 살고 있는 것은 정말 은혜이고 기적이고 감사라는 생각이 든다.

〈일상의 기적〉

아침에 열고 나간 문을
저녁에 다시 닫고 들어올 수 있다는 것 보다
더 위대한 일상의 기적은 별로 없습니다.
-일상신학사전-

“여호와께서 너의 출입을
지금부터 영원까지 지키시리로다”
시편 121:8

네 병에서 놓여 건강할지어다

처음 암 진단 후, 처음 주신 말씀이다.

예수께서 이르시되
'딸아 네 믿음이 너를 구원하였으니 평안히 가라
네 병에서 놓여 건강할지어다.'
마가복음 5:34

이 말씀이 이루어진 것을 믿으면서도 왜 2번이나 더 수술을 해야 하는지 물어보고 싶었었다.

'네 병에서 놓여'... 새번역에는 '이 병에서 벗어나서'로 되어 있다. NIV 번역은 'Daughter, your faith has healed you. Go in peace and be freed from your suffering' 고난으로부터 풀려나서, 자유로워져서로 되어 있다. 히브리/아람 원어에는 어떤 단어를 주님이 쓰셨을까 궁금하다.

3번의 수술과 면역 항암 치료로 아직은 건강해지고 있는 과정일지도 모르겠다.

아니면 NIV 표현처럼 이 병의 고난으로부터 자유로워지고 병에 얽매이지 않는 것을 말하신 것이라면, 이미 이루어진 것인지도 모르겠다.

병의 고난보다는 주님이 주신 평안과 기쁨이 더 크기에.

Overjoyed

성경에 overjoy라는 단어는 다섯 번 나온다. 심히 기뻐하다, 매우 크게 기뻐하다, 즐거워하고 기뻐하다 라고 표현되는 우리말보다 overjoy라는 단어가 더 마음에 와닿는다.

The king was overjoyed and gave orders to lift Daniel out of the den. And when Daniel was lifted from the den, no wound was found on him, because he had trusted in his God.

왕이 심히 기뻐서 명하여
다니엘을 굴에서 올리라 하매
그들이 다니엘을 굴에서 올린즉
그의 몸이 조금도 상하지 아니하였으니
이는 그가 자기의 하나님을 믿음이었더라.
다니엘 6:23

When they saw the star, they were overjoyed.
그들이 별을 보고 매우 크게 기뻐하고
기뻐하였더라.
마태복음 2:10

After he said this, he showed them his hand and side. The disciples were overjoyed when they saw the Lord.
이 말씀을 하시고 손과 옆구리를 보이시니
제자들이 주를 보고 기뻐하더라.
요한복음 20:20

When she recognized Peter's voice, she was so overjoyed she ran back without opening it and exclaimed, "Peter is at the door!"
베드로의 음성인 줄 알고 기뻐하며 문을 미처 열지 못하고
달려 들어가 말하되 베드로가 대문 밖에 섰더라 하니
사도행전 12:14

But rejoice that you participate in the suffering of Christ,
so that you may be overjoyed when his glory is revealed.
오히려 너희가 그리스도의 고난에 참여하는 것으로 즐거워하라
이는 그의 영광을 나타내실 때에
너희로 즐거워하고 기뻐하게 하려 함이라.
베드로전서 4:13

밤새 마음 졸였던 왕이 하나님이
다니엘을 사자 굴에서 구원하셨음을 발견했을 때
overjoyed.

동방박사들이 이 땅을 다스릴 목자가 나타날 것이라는
예언이 이루어질 별을 보았을 때
overjoyed.

두려워하며 모여 있는 제자들에게 부활하신
예수님이 나타나셨을 때 주님을 보고
overjoyed.

옥에 갇힌 베드로를 위해
여러 사람들과 기도하던 로데라는 여자아이가
실제로 베드로가 옥에서 나온 것을 발견했을 때
overjoyed.

주님의 고난에 함께 동참하는 우리들이
주님의 영광이 나타남을 볼 때에
overjoyed.

모두 하나님의 일하심과 섭리를 발견했을 때, 주님을 눈으로 보았을 때 overjoyed 했다. 암과 함께하는 시간들 동안 새롭게 발견한 하나님, 주님을 조금 더 가까이 보는 은혜로 overjoyed 된 나의 마음을 나누고 싶다. 지금의 나의 마음을 한 마디로 표현 하라면,
"overjoyed"

2022년 12월 31일. 아버지를 추모하며

Overjoyed 글을 다 쓰고 난 며칠 후, 아버지께서 2022년 마지막 날에 하늘나라로 가셨다. 이렇게 빨리 가실 줄 몰랐는데... 처음에 심폐소생술을 받으실 때는 너무 당황하여 '하나님! 제발요! 살려주세요!'라는 말만 나왔다.

두 번째 심폐소생술을 받으실 때는 '주님의 뜻을 이루어주세요'라는 기도가 나왔다. 주님의 뜻대로 아버지는 쓰러지신지 하루 만에 돌아가셨다.

지난 여름 손주들의 기도로 마음 변화를 고백하시고, 걷기 힘드신 중에도 집 앞 교회에 가서 예배 드리려고 애쓰신 아버지를 '오랫 동안 돌아오기를 기다리던 내 아들아, 이젠 됐다'고 주님께서 불러 주신 것 같다. 장례 기간, 어머니와 손주들까지 가족 모두 한 마음으로 평안함을 주신 것을 느끼며, 하늘로부터 부어 주시는 위로 감사하다. 영원히 주님 곁에서 기쁘게 거하실 아버지를 그려보며...

- 위로예배 1월 1일 (오소협 목사님)

"내가 여호와의 집에 영원히 살리로다" 시편 23:1-6

86년간 아버지를 기다려 주신 하나님, 하나님 집에 영원히 살게 해 주셔서 감사합니다.

- 입관예배 1월 2일 (박재현 목사님)

"전제와 같이 내가 벌써 부어지고 나의 떠날 시각이 가까웠도다" 디모데후서 4:6-8

코로나 때에, 추운 겨울에, 워커에 의지하여, 호흡이 힘든 가운데도 예배당을 찾으신 것은 아버지가 하나님께 드리는 전제였다.

- 발인예배 1월 3일 (이지철 목사님)

"내가 이제 세상 모든 사람이 가는 길로 가게 되었노니
너는 힘써 대장부가 되고" 열왕기상 2:2-4

대장부처럼 사셨던 아버지가 우리들에게 당부하시는 말씀으로 들렸다. 네, 말씀 안에 굳게 서서 대장부가 될게요!

3장
•
넘치는 기쁨

글

이 글을 사랑하는 사람들과 나누며, 글을 쓰는 일이 처음인데다 글솜씨가 없다고 생각 했기 때문에 내 마음이 잘 전달이 될지 걱정스러웠다.

여러 피드백을 받았다. 사람마다 느낀점이 다르고 자신의 상황에 따라 다가오는 부분이 다르며, 글을 잘 쓰는 능력 보다는 마음으로 읽혀진다는 것을 깨달았다.

그래서 부족한 면이 많은 글일지라도 나누는 것을 두려워하지 않기로 했다. 글을 쓰는 나의 몫도 있지만, 글을 읽는 자의 몫이 더 클 수도 있겠다는 생각도 들었다.

보내주신 답장을 읽으며 나도 더 풍성하게, 더 새롭게 느끼는 것이 있어 감사했다. 서로의 마음을 나누는 기쁨을 또 발견한다. 그래서 원래는 글을 더 쓴다는 생각은 안 했었고, 지금까지의 마음을 정리하는 것으로 끝내려고 했으나, 다시 적기 시작

한다.

답장 중에 한글 제목을 찾았다.
'넘치는 기쁨'.

한글 사전에서는 못 찾았던 단어인데 overjoyed를 읽고
표현해준 넘치는 기쁨이 나의 마음에 와닿는다.

남편은 내 글을 읽으려고 하지 않았다.
투병일기라는 말에 마음이 아프다며
다 아는 이야기인데 읽고 싶지 않다고!

힘든 시간을 가장 가까이서 함께한 가족들의 마음은 나도 다 모를 것 같기도 하다. 대강이라도 읽어보라고 억지로 읽게 했더니, 그동안 재미있게 놀았던 일, 여행 갔던 즐거운 이야기는 왜 안 썼냐고 한다. 틈틈이 가까운 곳으로 짧은 여행도 다녀오곤 했지만 좋았다는 것 이외는 별로 쓸 말이 없다. 힘든 시간 중에 느끼는 기쁨이 진짜 기쁨인 것 같다.

기도

아버지의 구원과 생의 마침의 은혜를 같이 기뻐하신 분들이 많다. 나의 오랜 기도 제목이었으니 정말 많은 분께 기도 부탁했었지만, 같이 기도했던 많은 시간을 다 기억하지는 못한다.

36년전 대학부 기도 모임에서 아버지를 위해 같이 기도하셨던, 지금은 목사님 되신 분의 이야기를 들으며 나는 기억도 못하지만 하나님은 다 들으시고 기억하셨음을 깨닫는다.

여러 기도 모임에 항상 올라가 있는 아버지의 구원을 위한 기도 제목... 많은 분들이 기도하셨고 나는 다 알지 못하지만 하나님은 다 아시리라.

아버지 마음의 변화는 손주들의 기도라고 들었기 때문에 동생에게 물어보았다. 뭐라고 기도했는데 감동을 받으셨는지...

동생의 대답은 의외였다.
“특별한 것은 없었어.
항상 기도하는 대로 기도했을 뿐이지
특별히 뜨겁거나 하지도 않았어.”

‘아! 그렇구나, 하나님이 하신 거구나. 우리가 기도를 잘 해서가 아니라, 우리의 믿음이 특별해서가 아니라, 하나님이 지금까지의 우리의 기도를 잊지 않으시고 그 시간에 하나님이 아버지의 마음을 만지신 거구나.’

더 은혜가 되었다.
아버지를 위해 기도해주신 많은 분들께 감사하고,
그 분들을 통해 뜻을 이루신 하나님께 감사한다.

하나님은 우리의 기도를 결코 버리지 않으시고
하나님의 때에 그 뜻대로 응답하시리라.

솥뚜껑과 자라

키드루다 치료 중 발진의 부작용도 있었는데 거울에 비친 등을 보다가 콩알만 한 피부 종양을 발견했다. 갑자기 커진 것처럼 보였다. 피부로 전이는 드물다는 주치의의 소견이 있었지만 새로 생긴 피부병변을 보고만 있을 수는 없어 성형외과 선생님께 제거 수술을 부탁드렸다.

노인성 각화종일 거라며 병변만 제거하자고 하셨지만 혹시 모르니 피부암에 준하여 넉넉히 절제해 달라고 부탁했다. 그래서 조금만 절개해도 될 걸 세 배의 크기로 절개를 진행했다.

병리 결과는 지루성 각화증으로 나왔고 나는 비로소 안도하며 옛날 속담 '자라 보고 놀란 가슴 솥뚜껑 보고 놀란다'는 말이 떠올랐지만 어쩔 수 없는 선택이었다고 생각한다.

이미 복부와 옆에 10개가 넘는 여러 흉터가 있어 남편이 '조폭 마누라' 같다고 하는데, 등에도 흉터가 생겼다. 등이 파인 드레

스를 입을 일은 없을 거니 괜찮을 것 같다. 그리고 흉터들을 볼 때마다 지금까지의 시간들을 잘 견뎌오게 하신 은혜의 흔적이라고 생각하면 감사한 마음이 떠 오른다. 작은 일에도 놀랄 수밖에 없는 나를 지금까지 지켜 주신 하나님!

공주의 공주병

자신이 공주인 줄 착각하여 항상 대접받는 것을 당연하게 여기는 잘난 척하는... 공주병이 나에게도 조금은 있는 것 같다. 남편에게 내가 공주병 있어서 힘드냐고 물어보면, 가정의 평화를 지키기 위한 대답을 한다.

'당신은 공주병이 아니고 공주야,
공주가 아닌 데도 공주 인척 하는게 병이지,
당신은 공주 맞아'.

나는 대답에 만족하며
공주병이 조금은 더 심해지면 어쩌나 하는 생각도 한다.

처음 암 진단을 받을 때 많은 사람들은 자신을 돌아본다고 한다. 잘못한 것은 없는지, 회개해야 할 부분은 없는지, 겸손한 마음이 된다고 한다.

나는 처음 암이라고 들었을 때 내가 잘못한 것을 떠올리기 보다는 내가 잘해서 이 땅에서의 임무를 끝냈기 때문에 하나님 나라로 돌아가는 것이라는 생각이 먼저 들었다.

따지고 보면 내가 잘한 것은 없고 은혜로 여기까지 왔는데, 당당하게 칭찬받을 생각을 먼저 하다니, 역시 난 공주병이 있는 것 같다.

하나님도 '넌 공주병이 아니고 공주야' 라고 말씀하실까?

예수님을 믿기 전 나의 모습은 하나님에 대해 무지 했었고 관심도 없었다. 초등학교때, 이름도 얼굴도 기억나지 않는 같은 반 친구 따라 교회에 나가게 되면서부터 예수님을 알게 되었고 중학교 때 나의 구세주로 고백하며 세례를 받았다.

그러나 예수님께서 나를 인격적으로 사랑하신다는 것과 가까이 계신다는 것이 마음으로 느껴지지 않아서 늘 불안하였다. 내가 열심히 신앙생활을 해야만 하나님이 나를 돌보실 것 같은 생각이었다. 대학생이 되고 참석한 한 수련회에서, 나를 주목

하시고 나를 개인적으로 만나주시고 교제하시기 원하시는 주님을 보게 되었고 그 주님께 나의 삶을 드린다는 신앙고백을 할 수 있었다.

그 이후의 변화는 내가 주님의 사랑받는 구원받은 자녀라는 확신 가운데 더 이상 불안해하지 않고 살 수 있었다는 것이다.

성령이 친히 우리의 영과 더불어
우리가 하나님의 자녀인 것을 증언하시나니
자녀이면 또한 상속자 곧 하나님의 상속자요
그리스도와 함께 한 상속자니
우리가 그와 함께 영광을 받기 위하여
고난도 함께 받아야 할 것이니라.
로마서 8:16-17

나를 자녀삼아 주신 하나님 아버지, 왕 이신 하나님의 딸인 나는 상속자이자 공주이다. 공주병이 좀 있지만 그래도 공주이다.

What counts (가장 중요한 것)

치료를 받는 동안 이전 보다는 더 가까이 다가온 죽음에 대하여 생각하지 않을 수 없다. 재판장이신 주님 앞에 설 때에 이 땅에서의 나의 삶은 어떻게 평가될까? 주님이 잘 하였다고 칭찬하실 부분은 무엇일까?

큰 아이가 다니는 한동대학교에는 부모 기도회가 있다. 학교를 위하여 기도하는 많은 부모님들의 섬김을 볼 때 감동이 되고 든든한 마음이 든다.

긴급기도제목 올라온 것 중에 한동대 졸업 후 멕시코에 선교사로 계신 김 선교사님이 큰 교통사고를 당해 생사를 오간다는 소식을 들었다. 젊은 선교사님을 생각하니 너무 안타까워 기도가 절로 나왔다. 몇 번에 걸쳐 소식이 올라왔고 기도할 때 마다 눈물이 흘렀는데 그 이후론 잊고 지내고 있었다.

몇 년이 지나고 신장암 수술 후 회복 중에 김선교사님의 간증을 학교 소식지에서 읽을 수 있었다. 사고 당시 소생 가능성 없이 중환자실에서 의식 없이 지내던 긴 시간동안 하셨던 영적 경험을 나누셨다. 예수님을 만나셨는데 어떤 죄로도 정죄를 하지 않으셨으나 삶을 계수하셨다고 한다.

오랫동안 교회 생활하며 봉사도 많이 하셨으나 예수님이 가치 있다고 계수하신 순간들은 너무 적었고, 하나님과 사람들을 사랑하는 마음으로 주님과 동행했던 순간들만 인정하셨다고 하였다.

내가 주님 앞에 설 때에 주님이 카운트 하시는 것은 무엇일까?
요한복음에서 영광을 묵상하면서 요한복음 14장의 진리가 놀라웠었다.

너희가 내 이름으로 무엇을 구하든지 내가 행하리니
이는 아버지로 하여금 아들로 말미암아
영광을 받으시게 하려 함이라.
내 이름으로 무엇이든지 내게 구하면 내가 행하리라.
너희가 나를 사랑하면 나의 계명을 지키리라.

그날에는 내가 아버지 안에,
너희가 내 안에,
내가 너희 안에 있는 것을
너희가 알리라
요한복음 14:13-15, 20

예수님께서 하나님의 뜻대로 행하실 때 하나님께서 영광을 받으셨다. 그리고 예수님이 하나님 안에 계시기 때문에 하나님이 영광 받으시면 예수님도 영광 받게 되신다. 더불어 우리는 예수님 안에 있기 때문에 예수님이 받으신 영광을 받게 된다.

우리가 예수님 안에서 하나님의 뜻대로 구하면 예수님이 행하시며 이것이 하나님께 영광이 된다. 그리고 그 하나님의 영광을 우리에게 주신다.

우리가 우리 뜻이 아닌 하나님의 뜻을 행할 때 하나님이 영광 받으신다고 했는데 하나님의 뜻은 무엇일까?

요한복음 13장에서 예수님이 말씀하셨다.

새 계명을 너희에게 주노니
서로 사랑하라
내가 너희를 사랑한 것 같이
너희도 서로 사랑하라.
요한복음 13:34

주님이 카운트하시는 것은 예수님을 사랑하는 마음으로 한 것, 이웃을 사랑하는 마음으로 한 것일 것 같다. 많은 사람이 인정하는 큰일을 했다고 해도 주님을 사랑하는 마음이 없었다면 아무것도 아니다. 다른 사람을 위해 아무리 수고하고 희생했다 하더라도 그 안에 사랑이 없다면 아무것도 안 한 것이 된다.

나의 가장 가까운 이웃인 가족들을 생각했다. 많은 시간을 섬겼다고 생각했는데… 가족들의 나와 다른 부분을 사랑으로 덮어주지 못하고, 판단하고, 내 뜻대로 하고자 했던 시간이라면 주님이 인정하지 않으시는 시간이겠지. 교회에서 순장 일을 얼마나 오래 했는지가 중요한 것이 아니라 얼마나 사랑하는 마음으로 했는지는 주님만이 다 아시고 계시겠지.

지난 20년이 넘는 시간 동안 병원에서 신생아 진료를 하면서 많은 시간과 에너지를 쏟아부었기 때문에 건강 문제로 그만둔다는 생각을 해보면 아까운 생각이 들기도 하였다.

주님은 얼마나 열심히 성실히 일했는지, 신생아집중치료실을 얼마나 발전시켰는지, 무엇을 이루었는지를 판단하시는 것이 아닌데... 나 자신을 위해, 다른 사람들에게 인정받기 위해 열심히 일했던 시간은 카운트하지 않으실 텐데... 나는 얼마나 주님 사랑하는 마음으로, 주님의 뜻대로 환자와 보호자들을, 직장 동료들을 사랑으로 대해 왔는지 생각해 보면 부끄럽다. 앞으로 내가 좋아하는 이 직장에서 일할 수 있는 남은 시간 동안, 주님을 기쁘시게 하는 일에 힘쓰며 일할 수 있기를 기도한다.

나를 정죄하지 않으시고 영원히 하나님의 자녀로 살게 하시는 주님의 은혜가 너무 감격스럽다. 나의 삶을 계수하시는 주님 앞에 나갈 날을 기다리며 준비하며 살 수 있도록, 부르시는 날까지 매일 주님 안에서 하나님의 뜻대로 행하는 가장 중요한 것을 놓치지 않고 살아가는 은혜를 간구한다.

우리에게 우리 날 계수함을 가르치사

지혜로운 마음을 얻게 하소서

시편 90:12

그런즉 우리는 몸으로 있든지 떠나든지

주를 기쁘시게 하는 자가 되기를 힘쓰노라.

이는 우리가 다 반드시

그리스도의 심판대 앞에 나타나게 되어

각각 선악간에 그 몸으로 행한 것을 따라 받으려 함이라.

고린도후서 5:9-10

qd.ac (하루 한번 아침 식전에)

매일 아침 눈 뜨자마자 항상 침대 옆에 둔 약병을 먼저 찾는다. 갑상선호르몬제는 매일 아침 식전에 같은 시간에 복용하게 되어있다(qd ac, 처방 약어).

갑상선 호르몬의 업 다운을 경험한 터라 잊지 않고 열심히 복용한다. 내가 오늘을 살아가는 데 필요한 호르몬을 복용하는 것이 중요한 하루 일과의 시작이다. 오늘도 일어나자마자 약병의 뚜껑을 여는데, 하나님이 이런 말씀을 하시는 것 같았다.

"얘, 너는 약은 매일 꼬박꼬박 찾아 먹으면서
나는 필요할 때만 찾니?"

은찬이가 대학교 복학을 하였다. 2년간의 롤러코스터와도 같았던 군 복무 생활을 무사히 마치고, 반년간의 휴식 시간을 가지고 다시 학교로 돌아갔다. 그동안의 힘들었던 일들 가운데 지켜 주신 은혜가 너무도 감사하지만, 멀리 포항까지 그리고 처음 생활해 보는 자취방으로 보내는 내 마음은 다시 염려로 가득 찬다.

학업에 대한 불확실한 마음을 가지고 있는 아들을 믿어주고 기다려 주기보다는 나의 조급한 마음이 앞선다. 아들을 인도하실 하나님을 믿고 바라고 맡기기보다는 내 계획을 앞세우고 있는 내 모습을 발견한다.

불안하고 걱정되니 기도하는 것 외에는 다른 방법이 없음을 다시 깨닫는다. 내 삶의 큰 변화가 없을 때는 말씀도 기도도 절실하지 않게 지내다가, 힘든 일이 있어야 주님을 찾고 가까이하는 나의 연약한 모습. 그래도 다시 주님 앞에 엎드리게 하시는 은혜가 감사하다.

아침에 눈 뜨며 약은 꼭 찾아 먹으며 오늘의 필요한 에너지를 받았다고 생각하면서도, 오늘을 살아갈 믿음을 구하지 못하고 오늘을 다스리시는 주님 앞에 말씀으로 기도로 나아가는 시간을 소홀히 냈던 내 모습을 회개한다.

나와 아들의 주인 되신 주님, 매일 아침 눈 뜨면 주님을 찾고 만나게 해주세요. 주님께서 오늘을 살 수 있는 모든 필요를 채워주시고 선한 길로 인도해 주실 것을 믿고 염려하지 않도록 도와주세요. 하나님의 뜻이 이루어지고 있음을 믿음으로 보기 원합니다.

아소산의 웃음

대학 졸업 30주년 여행으로 규슈에 다녀왔다. 25주년 여행이 특별한 추억으로 남아있어 이번에도 꼭 가고 싶었는데, 수술 후 많이 떨어진 체력 때문에 망설였었다.

면역 항암 치료하면서부터는 차 타고 30분이 넘는 거리는 거의 나가 본 적이 없는데, 단체로 움직이는 여행을 따라다닐 수 있을지 고민이 되었다.

35주년 여행을 기다려 볼까 생각도 했지만 5년 후의 상황을 알 수 없으니, 이번에 도전을 해보기로 했다.

버스 한 대로 다니는 30여 명의 동기들과의 2박3일 여행은 특별한 즐거움이었다. 너무 재미있어 웃었던 기억밖에 없다.

둘째 날부터는 비가 내렸는데 일정 중에 아소산 전망대 방문이 있었다. 예전에 부모님과 여행할 때도 들렀었는데, 흐린 날씨로 보이는 것이 없어 아쉬운 마음으로 내려왔던 기억이 있다. 이번에는 비까지 오니 전망대에 올라가는 것이 의미가 있을까 싶었으나, 앞서가는 동기들을 따라 끝까지 올라갔다. 비와 함께 바람이 몰아쳐 우산을 들고 있기도 힘든 상황 속에서, 기어코 사진을 찍고 내려왔다. 모두가 비에 흠뻑 젖은 모습으로 버스에 올랐다.

많은 사진이 즐거웠던 여행의 추억을 이야기해 주고 있으나, 가장 큰 웃음이 나는 사진은 바로 아소산 전망대 사진이다. 비바람을 맞아 힘껏 못생겨진 얼굴이지만 서로를 보며 크게 웃고 있는 사진을 볼 때마다 자꾸만 웃음이 새어 나온다.

비 오는 날 전망도 잘 안 보일 텐데 굳이 버스를 오래 타고 긴 거리를 가야 했던, 가장 안 좋다고 생각했던 스케줄이 가장 큰 즐거움을 남길 줄은 몰랐다.

우리 삶의 패러독스라고 해야 하나? 험한 십자가 안에 구원, 깊은 고난 안에 영광이 숨겨져 있는 역설... 생각지 못했던, 마음대로 되지 않는 힘든 상황에서도 숨겨져 있는 선물을 발견하는 기쁨이 있음이 감사하다.

이 여행이 즐거웠던 이유는 재미뿐만이 아니라, 따뜻한 동기들의 마음이 느껴져서이다. 비에 젖은 머리를 말리라고 무심히 툭 던져준 수건 한 장, 생각해 주며 챙겨준 약들, 따뜻한 허그, 사랑이 담긴 위로의 말들, 뜨거운 노천탕과 시원한 달빛 바람에 머문 따스한 눈빛들, 다정하게 나누어 먹은 간식들, 여동기들을 위해 챙겨온 얼굴 팩, 특별히 제조한 건강 기원 생수 한잔, 가슴이 따뜻해지는 말차라떼...

동기들의 따뜻한 사랑을 많이 느끼며 보낸 3일간의 여행을 무사히 마치고, 정성스레 찍어 올려준 사진들을 보며 또 웃는다.

작은 보리떡 (책을 내기로 하며…)

이 글을 나누고 난 후 내 마음을 울리는 답장들 가운데, 글을 통해 받으신 은혜와, 또 다른 사람들과도 나누고 싶어 하시는 마음을 알게 되고서 든 생각이다.
물고기 두 마리와 보리떡 다섯 개.

여기 한 아이가 있어
보리떡 다섯 개와 물고기 두 마리를 가지고 있나이다.
그러나 그것이 이 많은 사람에게 얼마나 되겠사옵나이까.
…사람들이 앉으니 수가 오천 명쯤 되더라
예수께서 떡을 가져 축사하신 후에
앉아 있는 자들에게 나눠 주시고
물고기도 그렇게 그들의 원대로 주시니라
그들이 배부른 후에 예수께서 제자들에게 이르시되
남은 조각을 거두고 버리는 것이 없게 하라 하시므로
이에 거두니 보리떡 다섯 개로 먹고 남은 조각이
열 두 바구니에 찼더라

요한복음 6: 9-13

A boy with five small barley loaves and two small fish. Jesus took the loaves, gave thanks and distributed... as much as they wanted.

이 말씀을 읽을 때면 옛날에 본 영화의 영상이 떠오른다. 영화의 장면에서는 바게트 모양의 꽤 큰 빵 덩어리였고 고등어만 한 먹음직스러운 생선이었다. 바구니에 담긴 빵과 물고기를 많은 사람이 다투어 가져가는 데도 줄어들지 않고 가득 차 있는 기적을 보여주고 있었다.

NIV 번역에는 작은 보리빵, 작은 물고기라고 적혀 있다. 아이의 도시락이었을 테니 영화와는 달리 어른이 혼자 먹기에도 부족한 작은 양이 아니었을까?

부족하나 예수님이라도 드시라고 한 것이었을까?

아이에겐 그 작은 빵이 많은 사람을 먹일 것이라는 믿음도 없었을 것 같다. 예수님은 그 작은 빵을 가지고 뭐라고 감사하시고 축사하셨을까?

볼품도 없고 맛도 특별하지 않은 우리의 작은 마음... 별것 아니지만 그래도 예수님께 드리고 싶은 마음을 주님이 감사히 받으시고 축복하신 것일까?

나의 부족한 작은 나눔이 주님께 드려질 때 다른 사람들을 배부르게 할 수 있다는 은혜를 깨닫는다. 더 감사한 것은 그 작은 빵을 주님이 귀히 여기셔서 남은 조각까지도 버리지 말고 거두라고 친히 말씀하신다. 나의 눈물도 낭비하지 않으시는 하나님의 섭리를 떠올려 본다. 내가 드린 작은 보리빵이 오천 명이 아니라 한 명이라도 배부르게 할 수 있다면 얼마나 기쁠까?

하나님의 말씀과 사랑과 기쁨 그리고 영광으로 가득 차서 배부를 수 있다면 얼마나 좋을까? 우리를 배부르게 먹이시는, 원대로 먹이시는(as much as they wanted), 주님이 베푸시는 기적이다.

책으로 만들어 볼까 생각한 나의 상상은 말 그대로 지나가는 상상이었다. 이제는 나의 작은 보리떡을 나누기 위해 책으로 만드는 상상을 실제로 시작해 보기로 한다.

책에 넣을 글이라며 선뜻 보내주시는 보리떡들도 함께 책에 실으면 좋을 것 같다. 내가 보기엔 배부를 수 없는 작은 보리떡에 불가하나 주님이 배부르게 하실 것을 기대한다.

나를 위하여, 나를 위하여 한 것이냐

출판사에 투고하고 채택 여부를 기다린 지 한 달이 넘어섰다. 보통은 4주 이내에 답변을 주신다고 하였는데 연락이 없자 조바심이 나기 시작하였다. 빨리 결정이 되면 좋겠는데... 워낙 할 일이 쌓여 있는 것을 좋아하지 않는 성격이라 신경이 쓰였다.

그동안은 결과를 주님께 맡기는 마음으로 특별히 간구하지 않았었는데, 이젠 기도하며 기다려야겠다는 생각이 들어 아침 기도 시간 리스트에서 빼먹지 말아야겠다고 다짐했다. 주님의 뜻대로 채택 여부가 결정되게 해 달라고, 그리고 책으로 나오게 된다면 나의 부족한 간증이 힘든 사람들에게 복음이 되기를 기도했다.

그리고 주님 주신 마음으로 진행하는 건데 왜 더뎌지는지 이해가 안 된다고 살짝 따지듯이 기도했다. 기도 중에 '나를 위하여, 나를 위하여 한 것이냐?'라는 말씀이 생각이 났다. 어제 다락방 말씀을 준비하며 읽은 스가랴 7장 1-14절 중의 말씀이다.

만군의 여호와의 전에 있는
제사장들과 선지자들에게 물어 이르되
내가 여러 해 동안 행한 대로
오월 중에 울며 근신하리이까 하매
만군의 여호와의 말씀이 내게 임하여 이르시되
온 땅의 백성과 제사장들에게 이르라
너희가 칠십 년 동안 다섯째 달과 일곱째 달에 금식하고
애통하였거니와
그 금식이 나를 위하여, 나를 위하여 한 것이냐
너희가 먹고 마실 때에
그것은 너희를 위하여 먹고
너희를 위하여 마시는 것이 아니냐
스가랴 7:3-6

계속 금식해야 하냐고 묻는 자에게 하나님은 그 금식이 누구를 위하여 한 것인지를 묻고 계시는 말씀이다. 스가랴 말씀이 환상도 많이 나오고 어려워서 본문을 읽으면서도 깨닫지 못하는 부분도 많았는데, '나를 위한 것인지' 두 번이나 강조하여 묻고 계신 하나님의 말씀이 나에게 하시는 말씀 같았다.

은혜를 나누고 싶은 마음으로 책으로 만들면 좋겠다고 기도하고는 있지만, 정말 주님을 위한 마음으로 한 것일까?

내 마음 깊숙한 곳에는 나를 나타내고자 하는 마음, 나는 이렇게 잘 지내고 있다는 것을 보여주려고 하는 나 자신을 위한 마음이 숨어 있던 것은 아닐까?

그렇다면 더뎌지는 것이 아니라 하나님이 허락 안 하시는 것이고, 그것이 응답이며 은혜임을 고백할 수밖에 없었다.

채택되어야 한다는 조바심이 사라지고, 나보다 나를 더 잘 아시는 하나님이 깨닫게 하시고 인도하신다는 감사로 마음이 편해졌다.

주님, 나의 마음을 살피시고, 잘못이 있으면 돌이키게 하시고, 먹든지 마시든지 주님을 위하여 하는 마음을 가질 수 있도록 은혜를 간구합니다.

어머님을 추모하며

오랜 기간 동안 침대에 누워 간병을 받으시던 시어머님께서 2023년 6월2일 소천 하셨다.

치매가 조금씩 심해지는 모습이 안타깝고 육신의 기능이 점점 없어져 가는 모습이 마음 아팠는데, 이젠 천국에서 안식하시리라 생각하니 안심이 된다. 하나님께서 어머님께 영원한 생명에 이르는 믿음을 주셨음이 참 감사하다.

얼마 전 천국으로 가신 나의 친정아버지도 만나
'사돈, 반가워요' 인사도 하셨을까?
어머님이 보고 싶어 하시던 아버님도 만나셨을까?

대부분의 부부가 그렇듯 노년의 시부모님 사이도 애틋하고 사랑이 넘치는 사이는 아니었다. 오히려 과거 관계의 상처들로 힘들어하시고 불평하셨던 기억이 많다.

그런데 치매가 생기면서부터는 아버님과의 아픈 상처들은 다 잊으시고 좋은 기억만 남으셨는지 먼저 돌아가신 아버님이 너무 보고 싶고 아버님이 최고라는 말씀을 자주 하셨다.

처음엔 치매가 심해지고 있다는 생각으로 걱정이 되었으나, 아마도 어머님 속마음은 아버님을 정말 좋아하시고 진심으로 사랑하셨었다는 생각이 들었다.

결혼 후 신혼 시절을 시댁에서 같이 살고, 이후에도 아파트 옆 동에서 살며 매주 만나며 지냈던 어머님은 나에게 시어머님보다는 어머님이셨다. 친정이 캐나다에 있어 자주 부모님을 만나지 못했기 때문에 시댁이 친정보다 더 가깝고 편한 곳이 되어버렸었다.

물론 처음부터 그랬던 것은 아니다. 처음에는 친정과는 다른 분위기에 문화 충격도 있었고 어머니를 이해하지 못해 힘들어하며 잠 못 이루던 시간도 있었지만, 함께 하는 시간이 쌓여가면서 어머님 품이 따뜻해졌다. 어머님이 나를 진심으로 사랑으로 대해주시는 것을 느꼈기 때문일 것이다.

치매가 생기면 감추어 두었던 본심이 나온다고 생각했던 나는, 어머님께서 나를 어떻게 대해 주실지 걱정이 되었다. 수술과 치료받으며 시댁으로부터 멀리 이사한 후로부터는 자주 뵙지도 못하는데, 나를 알아보실까? 아들과 딸은 좋아하시고 나만 싫어하시면 어떡하나?

감사하게도 어머님은 아들과 며느리를 똑같이 반갑게 맞아주셨다. 내 이름도 기억해 주셨다.

"어머님, 제가 누구인지 아세요?"
"애미잖아, 윤신원."
"그런데 넌 누구와 결혼했니?"
"어머님 아들과 결혼했어요."
"아 그래? 이렇게 (손가락으로 둘을 가리키시며) 둘이 결혼한 거야? 잘 살아."

어머님에 대한 마지막 기억을
따뜻한 사랑으로 남게 해주셔서 감사하다.

나의 소원

"엄마의 소원은 뭐에요?"

전화하며 기도제목을 서로 나누다가 큰아들이 물어보았다. 컴컴한 터널 같던 군 복무의 시간을 보내고 대학에 복학한 후 여러 가지로 걱정이 많았는데, 나의 기도 제목을 물어봐 줄 정도로 믿음을 주시고 지켜 주신 주님께 감사드린다.

크고 작은 소원들이 많이 있겠지만
제일 먼저 떠오르는 답을 했다.

"엄마의 소원은 우리 집 거실에 걸려있던 액자의 말씀이야."

네게서 날 자들이
오래 황폐된 곳들을 다시 세울 것이며
너는 역대의 파괴된 기초를 쌓으리니
너를 일컬어 무너진 데를 보수하는 자라 할 것이며

길을 수축하여 거할 곳이 되게 하는 자라 하리라.
이사야 58:12

이 말씀은 10여 년 전 특별새벽기도회에 참석했을 때 들은 말씀인데 그때부터 내 마음에 소원으로 자리 잡았다.

너무나도 황폐해지고 파괴된 이 세상... 하나님의 나라가 회복되는데 우리가 쓰임을 받을 수 있다면 얼마나 좋을까? 내가 받은 치유와 축복의 은혜가 흘러간 곳에 회복이 있고 회복된 자가 또 축복의 통로가 되는 꿈을 꾼다. 특히 나의 자녀들이, 내가 기도하는 사람들이 이 땅에서 하나님의 나라를 세우고 보수하는 상상을 해보면 행복하다.

몇 년 전 아들의 대학교 입시를 준비하며, 자소서를 쓰기 위해 한동대학교 홍보 책자를 열었을 때 이 이사야의 말씀이 쓰여 있어 신기했었다. 다음 세대의 젊은이들이, 더욱더 살기 힘들어지는 이 세상에서, 하나님의 자녀로 굳게 살며 하나님의 나라를 확장해 나가는 이 말씀이 이루어질 것을 기대하고 소원한다.

의사와 환자

신생아 의사로 오랜 시간 아픈 아기들을 돌보며, 또 마음 아파하는 부모들의 모습을 봐오면서 그들의 입장을 잘 알고 있다고 생각했었다. 그러나 상대방과 똑같은 상황에 부딪혀 보지 않고서 상대방의 입장을 다 이해할 수 있을까.

신생아에게서는 기흉이 생기는 경우가 종종 있어 흉곽 안에 흉관을 넣는 치료를 한다. 세상을 만나자마자 작은 가슴에 관을 꽂고 울고 있는 아기들을 볼 때 마음이 아팠으나, 얼마나 힘든지는 내가 직접 당해보기 전에는 다 알 수가 없었다.

나의 3번째 수술은 폐의 일부를 잘라내는 수술이었기 때문에 흉관을 꽂고 며칠간 지냈어야 했다. 수술 부위의 배액량도 관찰하고 출혈 여부도 봐야 하기 때문이다. 숨을 쉬거나 움직일 때마다 흉관이 주위 신경을 자극하여 통증이 꽤 심하다. 이 불편하고 아픈 흉관을 몇 시간이라도 아니 몇 분이라도 빨리 제거하고 싶었다.

우리에게 있는 대제사장은
우리 연약함을 체휼하지 아니하는 자가 아니요
모든 일에 우리와 한결 같이 시험을 받은 자로되
죄는 없으시니라
히브리서 4:15

체휼; 사전에는 '상대방의 입장에서 불쌍히 보살핌'이라고 정의 되어있고 '함께 아파하고 고통으로 느끼다, 상대방의 형편과 처지를 전 인격적으로 이해한다'라고 설명되어 있다.

예수님은 하나님이시지만 우리 인간의 연약한 몸으로 내려오셨기 때문에 우리의 모든 아픔과 고통과 슬픔을 다 당하셨다. 우리를 지으신 전능하신 분이니 다 아실 텐데도 직접 우리의 몸이 되셨다. 옆구리도 찔리셨고 살갗이 찢기며 피도 흘리셨다. 내가 얼마나 아픈지 친히 아신다.

나를 전 인격적으로 아시고 체휼하시는 주님의 은혜를 조금 더 깨닫게 해주셔서 감사하다. 그리고 나도 환자의 입장이 되어 볼 수 있어서 감사하다.

내게 가져오라

오병이어의 기적은 사복음서에 모두 기록이 되어있다. 떡 다섯 개와 물고기 두 마리로 오천 명을 배불리 먹이시고 남기신, 상상하기 힘든 이 기적은 주님이 하신 것이다. 그 기적이 일어나기 위해선 얼마 되지 않을 것 같은 떡과 물고기를 내가 들고 있는 것이 아니라 주님께 드리는 과정이 필요하다.

마태복음 14장에서는 '내게 가져오라(Bring them here to me)'라고 직접적으로 말씀하셨고 다른 복음서에서도 '떡을 가지사' 하늘을 바라보시고 감사하셨다는 내용이 나온다. 내 것이 아니고 주님의 것이 될 때 기적이 일어날 수 있다.

나는 어떤가? 내 것이라고 주장하는 것이 많다. '하나님을 위해 써주세요' '하나님께 맡깁니다.'라고 말은 하면서도 소유권이 나에게 있는 것처럼 내 방식과 내 뜻을 내려놓지 못하고 내 손에 계속 들고 있는 것은 아닐까?

요한복음에는 이름 없는 한 남자아이의 떡과 물고기라고 나오고 다른 복음서에는 누구의 것이었는지 언급이 없다. 누구의 것인지가 중요한 것이 아니라 주님의 것으로, 주님의 손에 들려 있다는 것이 중요한 것이다. 마치 내가 드려서, 내 것이라서 된 것처럼 놓지 못하고 내 것을 주장하고 있다면 아무 기적도 일어나지 않을 것이다.

주님은 나에게 무엇을 가져오라고 말씀하실까?
소박한 글이지만 막상 책으로 만들려고 하니, 내 이름이 드러난다고 하니, 여러 생각들이 들고 욕심이 나며 고민도 생긴다.

이제는 주님께 드리고 싶다. 무엇을 하시든, 책을 만드시든 아니시든, 주님 손에 들려 있으면 좋겠다.

여기 우리에게 있는 것은
떡 다섯 개와 물고기 두 마리뿐이니다
이르시되 그것을 내게 가져오라 하시고
마태복음 14:17-18

Epilogue

남편이 좋아하는 이규현 목사님의 책 "흘러넘치게 하라"에서 나온 내용이다.

"인생의 가장 큰 즐거움은 하나님을 알아가는 것"

너희는 여호와의 선하심을 맛보아 알지어다
그에게 피하는 자는 복이 있도다
시편 34:8

이 글의 가제를 처음엔 '나의 일기'로 적었었는데 갑자기 'overjoyed'라는 단어가 떠올랐다. 쓰다 보니 그동안 하나님께서 내가 가는 길 곳곳에 기쁨을 예비해 놓으신 것을 발견했기 때문이다. 인생의 여러 여정 가운데 있는 우리들이 하나님을 알아가는 가장 큰 즐거움을 누리며 사는 복이 있기를 소원하며 글을 마친다.

P.S. 편지지의 행방

유언장을 쓰려고 사다 놓은
그 많은 편지지는 어떻게 되었을까?

처음엔 죽음을 준비해야겠다고 생각했는데 계속 병을 고치시는 예수님의 말씀을 보게 되면서 왜 고쳐 주셨을지, 왜 살아야 하는지가 더 궁금해졌다.

결국 유언장은 쓰지 않았고, 편지지는 이사하면서 어디로 갔는지 모르겠다. 내가 그동안 느낀 overjoy를 써 내려간 이 글이 유언장을 쓴다면 하고 싶은 이야기일 것 같다.

앞으로 어떻게 될지는 나는 모르겠다. 한 번으로 끝날 줄 알았는데 3번이나 수술했고 앞으로 면역항암 치료하는 동안 어떤 일이 일어날지는 하나님만 아신다.

어쨌든 지금까지의 시간을 통해
조금은 더 알게 되고 깨닫게 된 하나님 때문에,
맛보아 알게 된 하나님의 선하심 때문에,
내 안에 영광으로 거하시는 주님을 보았기 때문에,

나는 암 진단받기 이전보다
지금이 더 행복하고 기쁘다.

끝

보내주신 글들

마음을 담아 보내주신 글들을 나눕니다.

남이 못 본 것

병리과 의사 김세훈

윤신원 선생님, 혹은 친구 신원이 혹은 윤신원 자매님을 안지는 오래다. 그간의 시간을 돌아보면 작은 미소가 찾아오는, 최근엔 거의 대부분 친구 부모님 장례식에서나 얼굴을 보는, 무소식이 희소식인 관계다.

중년의 우울로 허덕이는 요즘, 무소식이 희소식인 이들에게서의 갑작스러운 연락은 빨간색 경광등이다. '삐요삐요.' 나 같은 병리의사에게는 특히 그렇다. 갑작스러운 연락을 받고, 내 유일하고 허락받은 권능 중에 하나인 전산 "의무기록"을 통해 천천히 왼쪽 콩팥의 병변을 살펴보았다.

샛노란색의 종양. 정말 크다. 장경 약 6cm 정도. T stage가 높아지는 7cm 보다는 한 끝차이로 작다는 것이 그나마 다행이었다. 삐쩍 마른 몸에서 한쪽 콩팥을 떼었으니 시원섭섭하겠다만은, 그 종양의 크기만큼이나, 그의 삶의 무게가 느껴졌다.

내가 가진 또 다른 권한으로 내 전문분야는 아니지만, 당연히 내가 진단해야 한다는 약간의 의무감에 윤 선생의 유리 슬라이드를 내 앞으로 돌려놓고 호기롭게 진단완료 버튼을 눌렀다.

병실엔 윤 선생과 같이 삶을 헤쳐온, 예전보다 더 착해 보이는 남편이 간병을 하고 있었다. 둘 다 의사니까 괜찮겠지! 핸드폰으로 찍은 병변의 육안사진을 보여주고, “괜찮아, 괜찮아.” 라고 약간의 허풍을 떨면서 대화를 이어갔다. 오래 있기는 좀 부담스러운 자리를 도망치듯이 빠져 나왔다.

수술 후 한 달쯤인가, 괜찮은지 안부전화가 끝이었다. 의사로서, 또 한명의 중년으로서 그 깊은 늪을 헤치며 살고 있었다.

한 일년이 지났을까? 갑작스럽게 반대쪽 콩팥에도 조그마한 병변이 보였다. “이게 뭐지?”라고 의아한 생각이 들었다. “그냥 가끔 보이는 물혹 일거다.”라고 안심을 시켰으나, 어떻게 될지는 아무도 모를 일이었다.

좀 더 지켜보자는 비뇨의학과 의사의 권유와, 그래도 모르니, 떼는 것이 맘이 편하겠다는 환자의 "티키타카"가 있었던 것 같았다. 한쪽 콩팥이 없는 상황에서 반대쪽 콩팥을 건드리기는 쉽지 않다. 결국 복강경수술로 제거하기로 결정한 것 같았다.

"설마"가 사람을 잡는다. 복강경으로 떼어 온 병변은 1cm가 채 안되었지만, 샛노란 색의 병변이 눈에 확 띄었다. 현미경으로 확인하지 않아도, 저번과 같은 종양임을 알 수 있었다.

토요일 오후 늦게 찾아갔지만, 어떤 말을 해도 위로가 되지 않는 상황이었다. 이런 저런 그동안 지나온 이야기를 조금 하다가, 바쁘다는 핑계로 이전과 마찬가지로 도망치듯이 병실을 나왔다.

어느 정도 회복을 한 윤 선생은 외래검진을 위해 병원에 들리는 겸 내 방을 들려 차(Tea) 세트와 손에 꼭 쥘 수 있는 조그마한 소책자를 선물했다.
〈Jesus Calling〉이라는 제목의 책이었다.

2022년 9월쯤. 이번에는 폐의 일부분에 전이가 의심되는 작은 혹이 1개가 보이고 주변엔 더 작은 염증 같은 부위가 보인다는 거다. 아주 잘 보면 보인다는데, 나 같은 비전문가인 사람은 잘 모르겠다. 우리나라에서는 예전에 결핵 등을 살짝 앓고 지나갔던 흔적일 수도 있고, 아님 신장암과는 전혀 다른 병변일 가능성도 있었다.

다만 환자의 입장에서는 전혀 다른 이야기일 수 있다. 만약 이 병변이 신장암의 전이라면 소위 말하는 4기인데... 설마 그럴 리는 없을꺼다. 이런 상황에서 비뇨의학 주치의나 흉부외과 주치의는 좀 기다려보자고 할 가능성이 많겠지만, 결국은 환자와 보호자의 의지와 판단이 결정적이고 중요하다.

어찌 어찌해서, 2차 의견을 물어본 종양내과 선생님도 일단 확인을 해보는 것이 좋겠다고 했다. 예정된 가족여행 등 모든 걸 나중으로 미루고, 수술을 하기로 결정했단다.

결국 Frozen을 보낼텐데 (수술 중간에 빨리 병리검사를 확인하는 검사), 때마침 그날 외부회의가 있어 직접 가서 보지는 못하는 상황이었다. 우리과의 믿음직한 교수님이 담당인 날이어서, 윤 선생의 검체가 올 경우, 사진을 찍어 보내달라고 부탁하였다.

외부회의를 하는 동안, 점심쯤인가 카카오톡에 사진이 올라왔다. 누가보아도 이전 병변과 비슷한 소견을 보인다. 저번에 "4기면 어떻게 하나"라는 생각은 어디로인가 없어지고, 이렇게 작은 병변을 찾아낸 흉부외과 선생님과 결국 약간의 억지를 부려 수술을 결정한 윤 선생의 용기가 가했다.

다음 날 저녁, 윤신원 선생의 슬라이드를 내 현미경에 올려놓았다. 그리고 눈을 맞추었다. 원래 수술 당시 종양이 있었다고 했던 흉부외과 의사에게 말했던 병변은 신장암과 비슷하게 보이는 세포 (전문용어로 macrophage, 대식세포)가 아마도 염증성 병변의 후유증으로 모여 있었던 것이었다.

그런데 이거 웬걸~! 방금 전에 이야기했던 신장암 전이라고 의심했던 병변 바로 옆에 염증성 병변이라고 생각했던 부위에는, 현미경으로 꼼꼼히 보아야 겨우 보이는 아주 조그마한 혈관주변에 모여 있는 세포들이 좀 남다르게 보이기 시작했다.

특수 면역염색을 해보았더니, 바로 그 부분이 신장암 전이로 확인되었다. 일반인들은 그걸 왜 못 맞추지 하겠지만, 이거야 말로, 소가 뒤걸음치다가 개구리를 잡은 격, 아니다 다른 식으로 표현하자면, 허풍잡이 깡패 옆에 똘마니로 다녔던 놈이 진짜 실력자로 판명된 격이다.

결국 처음 폐에서 보였던 병변은 염증성 병변이고, 그 병변 때문에 알 수 있었던 주변에 더 작은 병변이 진짜 신장암의 전이였다. 물론 아예 이러한 병변이 없었으면 다행이었겠지만, 이렇게 우연히 발견되기도 쉽지 않은 상황, 다시 말해, 병리의사이면서 얼뜨기 신자인 나에게는 정말 하느님의 은혜라는 말이 절로 나올 수 밖에 없었던 상황이었다.

이럴 수도 있구나... 문득 작은 미소가 솟아났다. 우리 윤 선생과 오 선생 부부에게는 평생 써먹을 훌륭한 간증거리가 하나 더 생기겠구나 싶었다.

개인적으로 '엑스터시'를 느끼면서 찬양하는 CCM 찬양자들과 전혀 친하지 않지만, 간혹 그 찬양 가운데서 위로 받을 때가 있음을 고백한다.

대학생때 선풍적인 인기를 끌었던 1세대 CCM 가수 최덕신님이 시인 송명희님의 가사에 노래를 붙힌 '나 가진 재물 없으나'라는 찬양 가사가 생각났다.

나… 남이 못 본 것을 보았고,
나… 남이 듣지 못한 음성 들었고
나… 남이 받지 못한 사랑받았고
나… 남이 모르는 것 깨달았네

어쩌면 이번 일은 윤신원 선생님보다는
"남이 보지 못한 것을 보았고" 이러한 일련의 일들을 통해서 "남이 듣지 못한 음성"을 들었던 내가 더 큰 은혜 받은 일이라 생각한다.

실은 이러한 일은
나 혼자 몰래 알고 있고 싶었다.

Angel In Us

사랑의교회 여직장인다락방 순원 **엄정원**

“자매님들, 다락방은 제가 암 수술 받고 회복 후에 만나요…”
(마치 대수롭지 않은 시술처럼
너무나 평온하신 목소리로 심플하게…)

암 덩어리를 보면서 하나님의 천국을 보며 기뻐셨다는 순장님. '남편은? 주현이와 은찬이는 어떻게 살아요?'라고 묻기도 전에,

‘하나님께서 나를 데려가실 때에는 남겨진 가족 모두를 책임져 주실 거에요!’라고 말하시는 순장님. 이처럼 주님에 대한 절대적인 믿음과 사랑을 느껴본 적이 없다. 순간 어쩌면 순장님을 볼 수 없다는 생각에 또 한번 심장이 내려앉았다.

엄마가 4년 동안 코마상태에 계실 때 순장님을 만나고 순장님을 통해 예수님을 알게 되었다. 십수 년 순장님과 함께 성경 공부를 하며 하나님의 뜻을 구하였지만, 나에게는 풀리지 않는

서글픔이 있다. 의료사고로 10년 가까이 고생을 하시며 주님께로 가신 엄마를 생각하면 가슴 깊이 무겁게 자리잡은 응어리가 문득문득 올라온다. 그리고 난 그 무거운 상실감에 아직도 헤메이고 있다.

엄마 병간호를 하며 일하며 보냈던 나의 2030. 내 인생은 생각할 수조차 없는 고단한 하루 하루 시간들. 기적을 바라보며 매주 목요일 저녁 직장인 다락방에서 순장님과 성경 공부를 하며 그 시절을 버텨냈었다.

성경공부가 늦어질 때면 순장님이 피곤하신 몸을 뒤로하고 종종 집까지 데려다 주셨고, 내가 아프기라도 할 때면 안팎으로 챙겨 주시며 기도해 주시고 항상 옆에서 영가족으로 챙겨 주신 우리 순장님. 남편과 사별한 나의 친한 친구를 다락방으로 인도하시며 예수님을 만나게 하셨고, 다락방 순원들 한 분 한 분 세심하게 챙겨 주시며, 주변에 힘없고 연약한 자들을 위해 예수님과 같은 마음으로 섬겨 주시는 따뜻한 순장님.

천사 윤신원 순장님을 사랑하는 가족, 지인 곁에서 너무 빨리 데려 가시지 말아 달라고 간절히 기도드렸는데. 이건 나를 위한 기도임을 깨닫게 하셨다. 주님의 때에 주님이 사랑하시는 방법으로 순장님을, 우리를 불러 주실 것을 믿는다.

그리고 이제 엄마의 억울한 슬픔을 더 이상 주님께 묻고 싶지 않다. 천국을 소망하시면서 엄마가 그토록 이 세상에 미련을 두셨던 이유를 묻고 싶지 않다.

그리고 언제고 하나님께서 누구를 먼저 부르실지라도 순장님을 볼 수 없다는 것에 난 더 이상 슬프지 않다.

천국의 영원에서 아빠를 엄마를 순장님을 사랑하는 사람들을 영원히 볼 수 있기 때문에 천국에서의 행복한 하루하루를 소망한다.

동행

남편 오승택

아내가 책을 쓴다고 했을 때 웃음이 나왔다. 뭐 책을 쓸만한 일인가 싶기도 했다. 많은 사람이 걸리는 질병과 그 투병기라는 것도 그렇고, 자서전도 아니고 짧은 4년 중 투병에 대한 부분만으로 책을 쓰는 것도 분량이 적다고 생각했다.

그리고 무엇보다 아픈 기억을 되돌아보고 그때의 아픔을 다시 느끼는 것이 마음에 들지 않았다. 그래서 아내가 조금씩 글을 써 가면서 읽어봐 달라고 부탁했을 때 빠른 속도로 읽고 오래 마음에 두지 않으려 했다.

그러다가 어찌 되었든 책을 마무리하고 또 지인들의 글까지 곁들이니 짧지만 제법 책다운 모습이 되었고 다시 처음부터 끝까지 읽었다. 그리고 나도 한마디 쓰고 싶어졌다. 왜냐하면 저자와는 다른 관점으로 사실을 볼 수 있기 때문이다.

아내는 참 믿음이 좋은데 약간은 그래서 불만이다. 암에 걸리고 감사의 책을 쓴다는 것이 나는 이해가 잘 안되었다. 내가 볼 땐 아내는 여전히 육체적으로 정신적으로 힘들고 의학적으로 볼 때 완전히 완치된 것도 아니라서 그렇다. (신장암은 1기라도 치료 후 10년 지나서도 재발할 수 있고 전이된 4기인 경우는 더욱 재발할 우려가 높다) 아내의 모범생적인 모습은 존경스럽긴 하다. 그리고 나도 그래야 한다고 생각은 한다. 그러나 어찌 보면 인간적인 내 모습이 더 솔직하고 마땅한 것 같기도 하다.

어쨌든 아내의 말처럼 암을 통해서 하나님을 더 가까이하게 된 것은 맞는 것 같다. 고난 가운데 하나님을 더욱 찾고 의지하게 되고 또 고난을 외면하지 않으시고 우리를 돌보시는 하나님을, 순간순간 우리를 지켜보시고 계시는 하나님을 느끼는 경험이 있기에 그렇다. 어쩌면 병을 완전히 고치시고, 우리의 기도가 완전히 응답받고 문제 해결을 받는 것보다 전지전능하시고 무한한 사랑의 하나님이 그냥 우리를 지켜보시고 동행하신다는 것을 깨닫고 느끼는 것이 더 중요한 것 같기도 하고, 또 그것만으로도 충분한지도 모르겠다.

아내의 말처럼 아내의 책이 어떤 대단한 새로운 내용을 담고 있는 게 중요한 게 아니라 읽는 사람이 어떻게 받아들이는 것이 중요할 수도 있을 것 같다는 생각도 들기 시작했다. 하나님의 섭리가 있으니 내가 판단할 일이 아닐 것 같다.

끝으로 큰 믿음을 가진 아내를 주신 하나님께 감사드린다. 그리고 아내의 책을 통해 나와 내 가족과 이 책을 읽는 모든 사람이 하나님의 목적대로 살다 죽는 삶, 의미 있는 삶을 생각하는 계기가 되길 바라며 또한 그런 삶을 살아가기 위해 하루하루 하나님께서 힘과 평안 주시고 인도해 주실 것을 간절히 기도한다.

내 평생에
선하심과 인자하심이
반드시 나를 따르리니
내가 여호와의 집에
영원히 살리로다
시편 23편

소망 (yet to come)

작은 아들 오주헌

어머니가 쓴 글을 읽어보라 하셨을 때 계속 미뤘습니다. 사실 글을 읽기 싫었던 것이 현실과 마주하기 싫어서인 이유가 제일 컸습니다. 어머니의 질병과 관련된 얘기가 나오면 이어폰을 먼저 꼈고, 그냥 좋은 얘기만 하시길 바랐습니다. 질병과 관련된 얘기가 나올 때마다 마음도 안 좋고 헛구역질이 났습니다.

이번에 어머니의 부탁으로 마음을 크게 먹고 읽게 되었습니다. 읽으면서 발병부터 어머니가 현재 느끼는 것까지 알게 되었는데, 이제라고 읽어서 다행이라고 생각합니다.

지금이라도 어머니의 마음을 조금 더 알게 되었네요. 기도할 때면 어머니 기도를 빠뜨리지 않습니다. 사실 그 기도밖에 안 합니다. 그것 외에는 다 견딜 만합니다. 어머니가 힘들어하셨던 것에 비하면 아무것도 아니겠죠.

저는 제가 할 수 있는 일은 기도밖에 없다고 생각합니다. 그게 제일 중요하겠죠. 어머니도 분명히 그렇게 생각할 겁니다. 기도해도 불확실함과 안 좋은 생각도 떠오릅니다. 그래도 하나님께서 좋은 방향으로 이끌어 주시라 믿습니다.

지금은 너희가 근심하나
내가 다시 너희를 보리니 너희 마음이 기쁠것이요
너희 기쁨을 빼앗을 자가 없으리라.
요한복음 16:22

선물

큰아들 오은찬

나는 20살에 처음 홀로 외지에 살게 되었다. 그리고 3년간의 방황 끝에 하나님을 만나게 되었다. 그 과정에 수많은 이야기가 있었지만, 방황의 시작을 알린 것은 엄마가 암에 걸렸다는 소식이었다. 소식을 들은 순간 나는 엄마의 죽음이 확정되었다고 느꼈다.

어릴 적부터 '죽으면 천국 간다.'라는 말을 많이 들어왔다. 그래서인지 삶의 이유를 죽음에서 찾기도 했다. 그때까지의 나는 다른 사람의 삶을 생각해 본 적은 없었다. 그리고 죽음 역시 그랬다.

엄마의 비참하고 어두운 미래가 끊임없이 떠올랐다. 최악의 미래가 예언된 것이 무엇보다도 나를 괴롭게 했다. 나는 그 책임을 묻고 싶었다. 그렇게 좁은 누군가의 방, 좁은 누군가의 의자에 앉아 사람의 죽음을 결정하는 누군가를 찾았다. 그러나 나는 답을 얻지 못했고 새로운 학기가 시작되면서 집을 떠났다.

한 해의 반 이상을 엄마와 떨어져 지내며 3년을 보냈고 나는 아무것도 찾지 못했다. 홀로 서는 시간이 길어지며 나에게도 여러 고난이 찾아왔다. 사람들에게 실망하고 상처받은 나는 삶에 비관적으로 바뀌었다. 수술받은 엄마를 보며 마음에 일시적인 안정이 찾아왔지만, 나는 스스로 상처를 만들고 내일을 바라지 않게 되었다. 나는 스스로 죽어간다고 느꼈다. 그리고 머지않아 죽음이 확정되는 순간이 나에게도 찾아왔다.

수술 이후 엄마와 이야기하는 시간이 많아졌다. 어느 날 엄마는 유독 편하게 고통 없이 죽고 싶다고 말씀하셨다. 언젠가 찾아올 죽음을 미리 생각하는 모습에 나도 한번 시간을 가지고 생각해 봤다. 죽음이 찾아왔을 때 나의 시간이 부족하지 않게끔 말이다. 그러나 실제 죽음이 눈앞에 이르렀을 때, 시간도, 받아들이거나 거부할 능력도 나에겐 주어지지 않았다. 준비했던 마음은 사라지고 슬픔이나 분노도 아닌 무력감만이 맴돌았다.

그 순간이 찾아왔을 때 나는 내가 머지않아 죽을 것을 알았다. 그것은 단순한 사고도 아니었고 누군가의 잘못도 아니었다. 내가 태어나면서 가진 약점을 내가 살고 있는 사회가 결코 배려해 주지 않았을 뿐이었다. 나는 이대로 죽을 거라 확신했다. 그때 나는 절망하며 삶을 포기했다. 그리고 나는 기도하기 시작했다. 아마 놓아버린 삶을 그대로 버리기 싫었던 것 같다.

어릴 때부터 들어왔던 하나님이 떠올랐다. 그가 누구인지 잘 모르지만 내 손을 떠난 목숨을 맡길 곳은 그밖에 남지 않았다. 그러나 기도가 쉽지는 않았다. 살고자 하기를 포기했음에도 '나의 목숨을 누군가에게 맡긴다.'라는 고백은 스스로를 벼랑에서 밀어버리는 듯한 두려움이 있었다. 심장이 쪼그라드는 두려움에 떨며 마친 기도는 '확정된 죽음으로부터 나를 한번 구해봐라.'라며 내뱉은 도발과도 같았다.

나는 기대하지 않았다. 저자세로 빈 것도 아니라, 기도를 들어주리라 생각하지 않았다. 남은 것은 죽음 앞에서 나 스스로 선택했다는 것에 느낀 작은 위로였다.

그런데 나는 살았다. 눈앞에 죽음이 멀어지고 새로운 세상이 펼쳐졌다. 보지 못했던 것이 보이고 찾지 못했던 것들이 오히려 나에게 찾아왔다. 새로운 세상 안에서 선물 공세 받은 것처럼 두 팔에 가득 선물을 껴안은 채, 등 떠밀려 길을 걷기 시작했다. 무슨 일이 일어났는지 받아들이기도 전에 나는 새로운 삶을 걸어가고 있었다.

방황했던 3년간 안개에 가려져 보이지 않던 길만이 있었다. 무질서하게 흩어진 과거의 길이 어느새 맞춰져 의미를 가졌고, 그 앞 한 방향으로 걸어가야 할 길이 보였다.

때때로 누군가 나를 이끌고 있는 것처럼 느껴질 때가 있다. 여전히 먼 앞이 보이지 않을 때가 많지만, 걸어온 길을 돌아보면 모두 내가 상상할 수 없었던 미래였음을 확인할 때마다 내가 살아서 삶을 보내고 있음이 선명해져갔다. 그것이 모이고 모여서 앞으로의 희망이 되고, 지금의 내가 내일의 삶을 기대하게 되었다. 삶이 선물로 주어졌을 때, 나는 비로소 살아있음을 체험하게 되었다.

엄마와 나는 각자 하나님을 개인적으로 만나는 경험으로 삶을 받았다. 직접, 오직 나를 위해 준비하신 삶이 얼마나 사랑으로 가득한지 아는 우리는 내일을 기대하고 기뻐할 것이다. 그리고 언젠가 모두가 이 기쁨을 알았으면 한다.

탈고를 마치고.

"탈고가 뭐예요?"

편집자님과 대화하다 물었다.

책을 내기 전 자신의 글을 다시 읽어보고 고치는

중요한 과정임을 이제야 알게 되었다.

이렇게 무지한 내가 탈고를 마치게 된다니...

편집자님과의 만남도 갑자기, 뜻밖에 이루어졌으니...

이 모든 과정에 감사를 드린다.

처음 컴퓨터 자판기를 두드린 이유는

감사를 잊지 않기 위해 기록을 남기자는 생각이었다.

글을 쓰다 보니 나의 삶에 숨겨두신 기쁨을 발견하는

즐거움을 알게 되었고,

그 기쁨을 나누고 싶은 마음이 들기 시작하였다.

글을 나누며 기쁨이 더 풍성해짐도 느꼈다.

그리고 나에게 기쁨을 주신 하나님을
어떻게 하면 기쁘게 해드릴까 생각한다.

그때가 언제인지는 모르지만,
먼 훗날 나의 장례식장에 오신 분들에게도
이 책을 나누어 줄 수도 있지 않을까?

가장 좋은 하나님의 기쁨을 나누고 가면
하나님도 기뻐하시지 않을까?

이 책의 수익금은 탄자니아 연합대학교 (United African University of Tanzania) 에 전액 기부됩니다.

탄자니아 연합대학교(UAUT)는 '하나님께서 세우신, 하나님의 대학'입니다. UAUT는 아프리카의 복음화와 크리스천 리더를 양성하기 위해, 2012년 다르살렘 키감보니 모스렘지역에 4년제 종합대학으로 출범하였으며, "하나님은 모든 사람이 구원을 받으며 진리를 아는 데에 이르기를 원하시느니라" (딤전 2:4)의 성경 말씀에 기초하고 있습니다. 이에 따라 UAUT의 비전은 영성과 지성을 겸비한 거룩한 그리스도의 제자를 양육하는 것입니다.

UAUT는 2023년 7월, 탄자니아 교육부로부터 정식 인증(Accreditation)을 받았으며, 현재 정보 및 컴퓨터학과와 경영학과를 운영 중입니다. 향후 신학대학, 보건복지대학 및 교육대학 등을 계획하고 있습니다. 또한 2022년 12월 예수코너스톤교회 (Jesus Cornerstone Chapel)을 헌당함으로써, 하나님께서 부탁하신 복음 전파와 이웃사랑을 실천하기 위해 최선을 다하고 있습니다. UAUT가 탄자니아 및 아프리카, 그리고 열방을 섬김으로써 오직 하나님께만 영광을 올릴 수 있기를 소망합니다.

(사진 설명) 믿음 유치원은 UAUT 산하의 유치원으로 2010년에 세워졌으며 무료로 40여 명의 원생을 양육하고 있다.

하나님 아버지 감사합니다.